Mais Além da Escuridão

Livro 2 - Revelações

Catia Mourão e Johnatan Souza

2ª edição
Rio de Janeiro – Brasil

Copyright © Ler Editorial
ISBN 978-85-68925-01-0

Todos os direitos reservados. Proibida a reprodução total ou parcial, de qualquer forma ou por qualquer meio, mecânico ou eletrônico, incluindo fotocópia e gravação, sem a expressa permissão da editora.

Produção – Ler Editorial
Capa – Renato Klisman (fb.com/designrk)
Revisão – Vanuza Rúbia F. Freitas
Diagramação – Catia Mourão

Catalogação na Publicação (CIP)

```
M931 - Mourão, Catia. Ler Editorial. 2015

Revelações: livro 2 saga Mais Além da Escuridão
      2 ed. Rio de Janeiro
      ISBN 978-85-68925-01-0

1. Ficção fantástica 2. Literatura brasileira
      I. Título. II. Série.
      CDD 809.915 CDU 821.134.3(81)-3
      Catia Mourão e Johnatan Souza

  Índices para catálogo sistemático:
1. Ficção: Literatura fantástica 809.915
```

Direitos de edição:

Ler
EDITORIAL

Agradecimentos

A todos os blogueiros e youtubers, que se dedicam a difundir a literatura nacional e divulgaram "Entre Nós", o primeiro volume da série. Por todas as críticas maravilhosas que recebemos e que serviram de incentivo para prosseguirmos com nosso trabalho, mostrando que, sim! Estamos no caminho certo. Muito obrigado!

A Vanuza Rúbia, por sua preciosa ajuda na leitura e revisão do texto, e principalmente, a todos os leitores e aqueles que já se tornaram fãs da saga Mais Além da Escuridão.

Escrevemos para transportá-los a esse fascinante mundo que é a literatura fantástica e ficamos muito felizes de saber que, através de nossa obra, proporcionamos a vocês algumas horas desse mágico entretenimento.

Esperamos que apreciem e se emocionem com "Revelações", assim como se apaixonaram ao ler "Entre Nós".

Tenham todos uma boa leitura!

Johnatan Souza e Catia Mourão

Índice

03	AGRADECIMENTOS	
05	INTRODUÇÃO	
07	PEQUENO DICIONÁRIO VAMPÍRICO	
11	PRÓLOGO	
13	CAPÍTULO 1	VIVENDO O ROMANCE
22	CAPÍTULO 2	A FORÇA DA CONVOCAÇÃO
32	CAPÍTULO 3	FATOS INESPERADOS
45	CAPÍTULO 4	DE VOLTA AO BRASIL
56	CAPÍTULO 5	O CONFRONTO
65	CAPÍTULO 6	O INÍCIO DO FIM
75	CAPÍTULO 7	A TRAIÇÃO
85	CAPÍTULO 8	A PROPOSTA
96	CAPÍTULO 9	O DIA SEGUINTE
106	CAPÍTULO 10	JOHNATAN FALLEN
114	CAPÍTULO 11	RETORNANDO AO LAR
124	CAPÍTULO 12	SOLUCIONANDO O CONFLITO
131	CAPÍTULO 13	INÍCIO DA CONSPIRAÇÃO
140	CAPÍTULO 14	O CONSELHO
150	CAPÍTULO 15	DONOVAN E CARLIE
160	CAPÍTULO 16	INVESTIGANDO A INSURGÊNCIA
169	CAPÍTULO 17	OS PREPARATIVOS
183	CAPÍTULO 18	ROMERSGADE
191	CAPÍTULO 19	A FESTA
199	CAPÍTULO 20	MOMENTOS A DOIS
206	CAPÍTULO 21	DESCOBRINDO A CONSPIRAÇÃO
214	CAPÍTULO 22	SEM DIREÇÃO
222	CAPÍTULO 23	A NOITE DAS GAROTAS
233	CAPÍTULO 24	UM ENCONTRO INESPERADO
239	CAPÍTULO 25	O SEGREDO DE DONOVAN
248	CAPÍTULO 26	A BUSCA
256	CAPÍTULO 27	O ENCONTRO
268	CAPÍTULO 28	O CONFRONTO

Introdução

Os vampiros modernos vivem organizados em uma complexa sociedade. Nessa sociedade, como em todas as outras, existe uma linguagem distinta, proveniente de vários idiomas e que muitas vezes confere nuances diferentes aos significados de certas palavras, comumente usadas pelos humanos, possibilitando inclusive identificar a idade aproximada de um vampiro através do vocabulário utilizado.

Alguns clãs fazem uso de expressões próprias que os identifica entre si. Mas, em geral, vampiros são mestres no uso de eufemismos. Frequentemente, o que falam pode significar uma coisa bem diferente da interpretação literal, ou ainda representar algo mais, que vai além do significado comum.

Para ajudar aos leitores que, por ventura, ainda sejam novatos no que se refere ao mundo da escuridão, apresentamos um pequeno dicionário com os termos mais comuns que serão encontrados ao longo de nossa obra.

Pequeno dicionário vampírico

Abraço – o mesmo que conversão. É o ato de criar ou transformar um mortal em vampiro.

Anarquistas – vampiros jovens, que decidiram dar as costas para a sociedade e as leis do conselho, não reconhecendo ou aceitando os domínios de um príncipe ou de um Sir.

Assalto – ato de roubar bancos de sangue para se alimentar.

Beijo – o mesmo que morder. Ato de sugar o sangue de um humano para se alimentar ou apenas por prazer.

Caçador – humano, normalmente membro de uma organização. Dedica-se a estudar os hábitos dos vampiros para caçá-los e matá-los.

Casas Paraíso – funcionam como centro de referência e apoio para suprir as necessidades dos vampiros, tanto nas questões econômicas, quanto do dia a dia. Providencia contratação de empregados, troca periódica de identidade e fornecimento de alimentação. Existe ao menos uma Casa Paraíso em cada grande cidade e estão presentes em todo o mundo.

Clã – o mesmo que *Casa*. Termo usado para definir um grupo familiar vampírico.

Conselho dos Clãs – organização de chefes de clãs e príncipes, responsáveis pela elaboração e cumprimento das leis da sociedade. Também funciona como Corte Suprema e pode determinar severas punições, e até o banimento daqueles que não se enquadrarem as regras. São os líderes, legisladores e juízes da comunidade vampírica no mundo moderno e seus membros normalmente são considerados a nobreza.

Convocação – o mesmo que Chamado. Poder que utiliza a empatia entre o vampiro e outro indivíduo, sendo esse um humano ou outro vampiro com quem ele mantém uma ligação. Através da convocação um vampiro pode se conectar com uma pessoa mentalmente, esteja ela a qualquer distância.

Criança – todo vampiro recém-convertido até alcançar a idade de um século de existência, somando-se a idade humana ao tempo de conversão.

Desligar – termo usado para definir o estado em que um vampiro se afasta de sua humanidade. Para muitos, essa é a única maneira de manter a sanidade em situações críticas.

Doador – humano que fornece sangue espontaneamente para alimentação dos vampiros, seja por apreciar seu modo de vida ou por estar em busca de uma futura conversão.

Domínio – poder através do qual um vampiro pode influenciar as ações de um humano, ou mesmo de outro vampiro, através de hipnose ou indução. O domínio é sustentado pelo contato visual e pode ser usado para várias finalidades, como fazer com que a pessoa sinta uma vontade inexplicável de ser prestativa, obedecendo qualquer ordem sem questionar; implantar uma ideia na mente do outro; ordenar esquecimentos de cenas presenciadas ou mesmo criar memórias de fatos que nunca existiram, e até manipular ou intimidar adversários. Os efeitos do domínio raramente são percebidos pela vítima.

Elo de criação – é a ligação natural entre um vampiro e seu convertido. Às vezes, também é chamado de Elo de Sangue.

Laço de sangue – ligação mística, concebida e mantida quando se partilha o sangue de um vampiro por várias vezes. Alguns consideram o laço de sangue uma espécie de servidão ou vício. É também a forma usada para consolidar as uniões afetivas dentro da sociedade.

Lilith – primeira mulher de Adão, banida por Deus por se recusar a submissão masculina. Dentro da cultura vampírica ela é considerada a primeira vampira da história ou a grande mãe. Lilith se tornou uma lenda entre as mulheres da sociedade e é adorada por elas como uma Deusa protetora.

Linhagem – é a ascendência de um vampiro, perpetuada por seu sangue através do abraço. Também serve de referência a sua posição dentro da sociedade.

Príncipe – geralmente o filho mais importante de um Sir. Pode criar seu próprio clã, comandar territórios, chefiar negócios da família, além de ser o primeiro na linha sucessória de seu clã original.

Sangue fresco – sangue ingerido através do beijo, onde o vampiro se alimenta diretamente de sua vítima ou doador.

Sangue gelado – sangue roubado de bancos de sangue ou comprado nas Casas Paraíso. O sangue resfriado não é tão apreciado quanto o sangue fresco, mas é a maneira considerada mais adequada pela maioria para se alimentar na sociedade moderna.

Sede – o mesmo que fome. Condição em que o vampiro necessita se alimentar. Caso não o faça, se tornará fraco, podendo levar inclusive a morte se assim permanecer por um tempo muito prolongado.

Sir – o mesmo que Senhor ou Lord. Pronome usado para designar o pai ou criador de um vampiro, ou de todo um clã. O termo escolhido depende do local proveniente do vampiro em questão e sua utilização demonstra respeito por parte dos membros da sociedade.

Torpor – sono profundo, ao qual um vampiro pode se entregar ou ser induzido. Pode durar dias, meses ou até anos. Geralmente é usado para agilizar o processo de recuperação, em casos de ferimentos graves, ou mesmo em situações emocionais estressantes.

Vassalo – o mesmo que soldado. Vampiros que são criados com o único objetivo de servir a seus senhores.

Segundo o dicionário humano

Êxtase – condição daquele que está emocionalmente fora de si ou tomado por sensações adversas, intensas e contundentes. Prazer vivíssimo, gozo íntimo causado por uma grande admiração ou enlevo. Estado caracterizado pela perda de consciência da própria existência e pela abolição da sensibilidade a toda e qualquer ação externa. Estado de alma absorta em contemplação das coisas do mundo sobrenatural.

Frenesi – exaltação violenta, arrebatamento, inquietação do espírito, excitação extrema, excesso de paixão.

Prólogo

Que o sexo sozinho, por melhor que seja, não é capaz de sustentar uma relação, isso todo mundo sabe. Mas, que um bom sexo pode ser a porta de entrada para revelar sentimentos mais profundos, disso ninguém duvida.

O beijo de um vampiro, como é chamado o ato de morder, causa um extraordinário estado de êxtase, gerando um prazer indescritível, sutilmente doloroso, que funciona tanto em humanos quanto nos próprios vampiros.

Indivíduos com extrema força de vontade podem resistir no primeiro momento, mas depois de alguns segundos, até mesmo para eles torna-se impossível não sucumbir ao prazer.

Mescle a isso as incríveis sensações do prazer carnal durante o ato sexual, além do fato de que nos vampiros as emoções, boas ou ruins, são largamente ampliadas, e você terá uma amostra da dimensão gerada por esse poder.

Quando um vampiro partilha o sangue de outro, por várias vezes consecutivas, acaba criando um laço de sangue. Essa ligação é quase impossível de romper.

Alguns humanos, e até mesmo vampiros, tornam-se viciados no êxtase do beijo e passam a buscar aquele que é o responsável por tanto prazer, tornando-se submissos a seus senhores.

Em geral, os vampiros são mais resistentes a esse estado que os humanos e conseguem se manter firmes por mais tempo. Assim, numa sociedade onde conversões, laços de sangue e dominação mental são consideradas coisas banais, torna-se muito difícil ter certeza de que suas ações são realmente fruto de sua vontade.

Não importa se você viveu cem, duzentos ou até mil anos. Um dia o inesperado bate a sua porta, invadindo sua vida como uma rajada de vento da qual é impossível escapar.

Capítulo 1
Vivendo o romance

Pouco mais de quatro meses se passaram, após a batalha no Castelo do Anjo, em Nova Orleans. Assim que descobrimos que Donovan tinha partido, John e eu também deixamos o hotel.

As últimas semanas tinham sido muito difíceis para todos e mais ainda para nossa relação. Por isso, decidimos que seria uma boa ideia curtir um tempo só nosso, e foi exatamente o que fizemos.

Deixamos a cidade e partimos em direção a Europa, mais precisamente Veneza, a cidade dos apaixonados. Considerada como um dos destinos mais encantadores e românticos do mundo, Veneza parecia o lugar perfeito para começarmos nossas tão merecidas férias.

Aterrissamos no aeroporto Marco Polo, na cidade vizinha de Mestre, e seguimos para o hotel que havíamos escolhido antes de sair da América. Como ainda era cedo, aproveitamos para nos perder por suas charmosas ruelas.

Agindo tal qual um casal comum de turistas, passeamos por museus, antigas construções de pedra, monumentos e até igrejas. Fomos a Ponte Rialto, com seus famosos vendedores ambulantes que ofereciam todo tipo de objetos, e paramos para observar o movimento dos barcos no Grand Canal.

Veneza não era nenhuma novidade para mim, mas ver a cidade pelos olhos de John era diferente. Ele fazia tudo parecer especial. Passeamos até o pôr do sol e já era noite quando retornamos ao hotel para desfazer as malas.

Para celebrar nossa primeira noite, decidimos jantar em um dos restaurantes da Piazza San Marco. Era maravilhoso estar ali com meu anjo. Caminhar de mãos dadas, como fazem os casais de namorados, apreciar a bela torre do relógio, com os signos do zodíaco e as fases da lua representadas em suas faces.

Tinha a sensação que tudo estava mais vivo e fascinante ao lado de John, e quase podia esquecer de que não era humana.

Combinamos que só passaríamos alguns dias em Veneza e depois seguiríamos viagem. Seria assim em cada cidade do caminho, passando pela Suíça até a França, e era minha intenção aproveitar ao máximo.

Quando por fim decidimos regressar ao hotel, já passava de meia noite e depois de um dia tão prazeroso como aquele, tudo que eu queria era uma boa banheira cheinha de espuma para relaxar.

— John! Vou tomar um banho. Não quer vir?

Ele me olhou com uma expressão maliciosa e eu retruquei como se não tivesse entendido.

— Ah! O que foi? Falei algo de errado?

— Claro que não, minha pequena. Mas infelizmente, tenho que recusar seu convite. Preciso fazer uma ligação importante. Saber como estão às coisas no Brasil. Prometo que vou logo em seguida.

— Ok! Espero por você na banheira — respondi concordando, mas alguma coisa em sua atitude me fez lembrar a loura com cara de modelo, que apareceu na companhia de Rafael em Nova Orleans.

Propositalmente, caminhei despreocupada pelo quarto, fingindo procurar a camisola que pretendia vestir. Demorei mais do que o necessário, dando tempo para que ele iniciasse a conversa ao telefone. Mas meus planos para descobrir quem seria seu interlocutor foram frustrados. John parecia disposto a só fazer a chamada depois que eu entrasse no banheiro.

Não queria demonstrar ciúme e dar motivo para iniciar uma discussão, aparentemente sem razão. Sendo assim, só me restou disfarçar. Dei um sorriso e segui para o banho, agindo como se aquilo não me incomodasse.

Tentei usar minha audição especial para escutar alguma coisa da conversa vinda do quarto, mas o barulho da água ou as artimanhas de John para encobrir sua voz, me impediam de entender o que era dito.

Procurei relaxar, dizendo para mim mesma que tudo não passava de um ciúme bobo da minha parte, mas foi impossível parar de pensar na suposta relação que ele manteve com Claire antes de sua queda.

Todo aquele mistério, para fazer uma simples ligação para o Brasil, acabou com meu ânimo de ficar mergulhada na espuma. Cansada de esperar, saí do banho, tentando esquecer aquele pensamento. Vesti um dos roupões do hotel e voltei para o quarto.

No momento em que me viu ele desligou o celular. Apesar disso, agiu naturalmente e eu não tive nenhuma pista de com quem John estava falando, o que só serviu para eu ter certeza de que ele tentava esconder alguma coisa.

— Terminou sua ligação? — perguntei, esboçando um sorriso gelado, mas John fingiu não perceber.

— Claro meu amor! Desculpe não ter te acompanhado, mas era muito importante.

— Entendo.

— Mas já está tudo resolvido. Vou tomar uma ducha rápida e volto.

John se levantou e veio em minha direção. Tentei não demonstrar minha inquietação pelo que tinha acabado de acontecer, enquanto ele passava ao meu lado e depositava um beijo, antes de seguir para o banheiro. Troquei o roupão pela camisola e fui para a cama, pensando em milhares de hipóteses prováveis para justificar seu comportamento.

Meu devaneio foi interrompido por sua imagem saindo do banho e parando em frente ao espelho. De costas para mim, ele tentava de um jeito displicente secar o cabelo com a toalha.

A cena foi o suficiente para afastar todos os pensamentos ruins da minha mente.

Como uma garota podia se concentrar em alguma coisa fitando aquele corpo perfeito, completamente nu?

— O que foi? Porque está me olhando com essa cara?

— Nada. Só umas ideias que passaram pela minha cabeça.

Johnatan apagou as luzes. Deitada, observei ele se aproximar, iluminado pelo brilho da lua, que invadia o quarto através da varanda e refletia diretamente na cama.

Lembrei-me de nossa primeira noite em Nova Orleans. A maneira meio desajeitada com que me entreguei a ele, após escaparmos do Castelo do Anjo.

Como se lesse meus pensamentos, ele me fitou intensamente por alguns segundos. Retribuí seu olhar com um sorriso e então, ele repousou a mão sobre meu coração quebrando o silêncio.

— Te amo tanto, minha pequena!

Minha resposta veio em forma de um beijo. Seus lábios, quentes e macios tocando os meus, eram um convite que eu não pretendia recusar. Fechei os olhos e entrelacei meus dedos em seus cabelos negros, enquanto ele deixava minha boca para começar a percorrer seu excitante caminho de prazer por meu pescoço.

Sem parar de me beijar, ele começou a despir a delicada camisola que eu havia posto ao sair do banho. Eu o queria mais que tudo. Estava completamente entregue aquele homem carinhoso e, ao mesmo tempo, tão ardentemente apaixonado.

Nossa relação não era apenas mais um caso amoroso. John era tudo que sempre quis e cada vez que estava em seus braços eu tinha mais certeza disso.

Na manhã seguinte acordei surpresa, ao descobrir que ele não estava na cama. Empurrei o edredom e já ia levantar quando ele entrou. Trazia uma bandeja repleta de guloseimas para o café da manhã. Frutas, torradas, geleia, iogurtes e tudo decorado com flores.

— Ah! Você já está acordada.

— Porque não me chamou? Eu podia descer para te acompanhar no café.

— Você estava tão linda dormindo que achei melhor deixá-la descansar mais um pouco.

— Amor, pra que tudo isso? Você não espera que eu também coma, não é?

— Sei que não precisa, mas eu sim. Além do mais, prefiro comer aqui na cama com você ao meu lado. Assim, tenho a sensação de que estou te mimando um pouco.

Enquanto falava, John separou uma mecha do meu cabelo e colocou atrás da orelha, prendendo as flores que estavam na bandeja.

Ficamos na cama por algum tempo e me peguei observando-o distraída, enquanto ele se revezava entre me beijar, trocar carinhos e devorar quase tudo que havia na bandeja.

Quando terminou, nos vestimos e saímos para nosso segundo dia em Veneza.

Nossa primeira parada foi no palácio Ducale, na Praça de São Marcos. Uma obra prima em estilo gótico do século XIII e suas impressionantes colunas de mármore vermelho, de onde, em uma época distante, eram anunciados os nomes dos condenados à morte.

Por algum tempo, me detive apreciando a beleza dos afrescos dos salões e da varanda, que oferecia uma linda vista das ilhas de Sant Giorgio e Giudecca.

De lá, seguimos para a Mercerie, com suas lojas elegantes. O lugar perfeito para comprar tudo que precisávamos, para usar durante os meses que pretendíamos passar na Europa.

Já era fim de tarde, quando entramos na gôndola que nos levaria em um romântico passeio pelos canais, e John pagou a mais ao gondoleiro para que cantasse para nós.

Parecia um sonho. Recostada, com ele ao meu lado, abraçados, bebendo champanhe e desfrutando daquela belíssima paisagem, repleta de prédios renascentistas e palacetes.

Quando finalmente regressamos ao hotel, a lua brilhava alta no céu. Da pequena varanda era possível observar o movimento dos barcos, no canal que dava acesso a entrada do prédio. Estava tão distraída que não percebi quando John se aproximou.

— Um dia de vida por seus pensamentos.

— Sabe que não precisa disso. Meus pensamentos não são nenhum segredo para você.

— Acha mesmo que não? — ele perguntou e antes que eu respondesse, prosseguiu — Sempre que fica assim calada, observando o horizonte, me pergunto o que pode estar passando por sua linda cabecinha.

— Estava pensando em nós. Pela primeira vez em muito tempo me sinto realmente feliz. Essa sensação me assusta um pouco, como se a qualquer momento eu fosse acordar e descobrir que tudo não passou de um sonho.

— Não tem porque se sentir assim, minha pequena. Tudo que estamos vivendo é bem real. Essa felicidade é minha também e não tenho nenhuma intenção de deixá-la escapar.

— Até quando acha que essa paz vai durar?

— Não tenho essa resposta, mas no que depender de mim será para sempre.

Dois dias depois, partimos de Veneza descendo até Roma, onde passamos uma semana maravilhosa antes de seguir viagem.

Subindo pela Toscana, passamos por Firenze, Torino, Milão e todas as belas cidades do caminho, cruzando a fronteira, até chegar à Suíça.

Estávamos na estrada, já do lado suíço da fronteira, admirando a beleza da paisagem ao longo do caminho. A todo o momento éramos brindados com cidadezinhas paradas no tempo e suas construções e praças cheias de história.

Quando o celular de John tocou, ele atendeu a ligação no viva voz, agindo por impulso, sem verificar quem fazia a chamada.

— Johnatan falando.

— Oi John! Sou eu — uma voz feminina e estridente soou. — Estou ligando para avisar que já me instalei na sua casa. Aliás, sua cama é ótima!

— Claire?

— Quem mais poderia ser?

Naquele momento um desconforto começou a crescer dentro de mim.

— John, preciso muito ver você. Ainda vai demorar para voltar ao Brasil com sua namoradinha?

Ao ouvir a maneira desdenhosa com que ela mencionara a palavra namoradinha, o que até então era apenas um desconforto, rapidamente passou a raiva.

— Claire, esse não é o melhor momento para conversar. Estou dirigindo.

— Sei que está se divertindo — ela respondeu, como se não tivesse entendido a palavra *dirigindo* —, mas precisamos tratar de coisas mais sérias.

Mentalmente, recebi uma mensagem de John me pedindo calma, mas àquela altura seu pedido não surtiu nenhum efeito.

— Ainda não tenho previsão de volta. Outra hora eu ligo e conversaremos.

— John, espera! O que farei até você voltar?

Antes que Claire falasse alguma coisa que piorasse ainda mais a situação, John encerrou a chamada, mas era tarde demais. Eu já estava furiosa. Principalmente depois de ouvi-lo dizer que retornaria a chamada quando fosse mais conveniente.

— Amor...

— Poupe-me de suas explicações.

— Espera! Deixe-me falar antes que comece a pensar besteira.

— Besteira, John? Essa mulher liga, dizendo que está te esperando na sua casa e você acha isso uma besteira?

— Ela só vai ficar lá por alguns dias. Veio em uma missão, a mando de Rafael.

— E vou ter que aturá-la perto de você pelo simples fato de estar em missão aqui na terra? Com tanto hotel em São Paulo? Não acredito que não tenha outro lugar para ela se instalar, além da sua casa.

— Amor, procure entender. Ficar em outro lugar nesse momento seria complicado, chamaria muita atenção.

— Há quanto tempo você sabe disso? Quer dizer... quando foi que ela pediu para ficar na sua casa?

— Há pouco tempo.

— Aquela ligação que você fez no Hotel em Veneza. Todo aquele mistério, por acaso foi para falar com ela?

— Na verdade, estava falando com outra pessoa. Um humano que trabalha para nós. Ele me deu o recado avisando da chegada de Claire.

— E você achou que não precisava me contar. O que estava pensando?

— Eu ia te contar. Só estava esperando uma oportunidade, porque sabia que você agiria exatamente assim. Além do mais, eu acredito que antes de voltarmos ao Brasil ela termine a missão, seja lá qual for, e parta.

— Então, você nem mesmo sabe que missão é? Pois eu sei bem o que essa loura aguada quer por aqui.

— Carlie! Rafael jamais mandaria um anjo para a terra sem que houvesse um propósito sério.

— Johnatan Fallen, eu espero sinceramente que isso tudo seja exatamente como você está dizendo e que ela realmente não esteja mais lá quando voltarmos, ou não respondo por minhas atitudes.

Johnatan franziu a testa, consciente de que estava com um grande problema em mãos. Ele sabia que agora meu humor estava péssimo e dependeria exclusivamente dele encontrar uma maneira de melhorá-lo.

Sinto que me afogo em minha intensidade. Que mistério é esse que minha alma esconde e meu coração pressente?

Capítulo 2
A força da convocação

Após quatro horas na estrada me senti um pouco mais calma, mas a imagem da loura intrometida sozinha na casa de Johnatan, livre para vasculhar sua intimidade, não saía da minha cabeça.

Decidimos fazer uma parada em Stans para passar a noite e planejar nosso roteiro pela Suíça. Foi lá que ouvi o chamado pela primeira vez.

Tínhamos acabado de nos instalar no hotel, que ficava bem na praça da aldeia. Estava me preparando para tomar um banho quando a voz de Donovan invadiu minha mente.

— Carlie...

Assustada, apoiei o corpo na bancada de mármore que revestia a pia. Fiquei imóvel por alguns segundos, pensando que talvez fosse apenas minha imaginação. Mas a angústia refletida em sua voz era real demais para ser apenas um delírio.

Aguardei por um tempo e nada. A sensação se dissipou tão inesperadamente quanto surgiu. Aos poucos os sons do ambiente retornaram. O anjo se movendo no quarto, o barulho da mala sendo aberta e os ruídos vindos da praça. Tudo voltou ao normal.

Entrei no Box e abri a ducha, deixando a água me acalmar e pensando em Donovan. Nunca havíamos passado tanto tempo afastados. Mesmo quando ele viajava, sempre havia ligações telefônicas e mensagens. Mas agora, era como se ele tivesse me excluído completamente de sua vida.

Aquilo não fazia o menor sentido. Se ele quisesse falar comigo podia ligar para meu celular, afinal estávamos no século XXI.

Achei melhor não comentar nada com John por enquanto, ao menos até ter certeza do que estava acontecendo. Saí do banheiro com uma toalha enrolada no corpo e outra no cabelo. Johnatan estava sentado na cama estudando um mapa.

— Aí está você. Pensei que não sairia mais daquele banheiro — John fez uma pausa dando uma boa olhada em mim — Está tudo bem?

— Claro. Por quê?

— Não sei. Você está pensativa.

— Impressão sua amor. Está tudo ótimo. Vamos nos arrumar logo, quero dar uma volta na cidade. Nunca estive aqui.

— Finalmente! Precisamos comemorar — ele retrucou sorrindo.

— Agora fiquei confusa. O que devemos comemorar?

— Bem, é a primeira vez que paramos em algum lugar onde você nunca esteve.

Rimos enquanto ele puxava minha mão.

— Venha cá! Quero te mostrar uma coisa.

— O que está planejando para nós?

John me observou por alguns segundos antes de responder com outra pergunta.

— Você gosta de esportes de inverno? Sabe esquiar?

— Se eu sei? Eu poderia ganhar fácil de um desses esquiadores profissionais.

Dessa vez ele riu com vontade.

— O que foi? Está duvidando?

— Não amor. É que você parece uma garotinha, empolgada com a ideia de fazer alguma travessura.

— Sabia que às vezes você é muito implicante?

— Olha só — ele desviou o assunto, voltando a atenção para o mapa — Podemos passar dois ou três dias aqui, se você gostar da cidade, e depois seguir para St. Moritz. O que acha?

— Adorei sua sugestão. Faz tanto tempo que não vou a uma estação de esqui.

— Então, está decidido. Vamos sair para conhecer um pouco desse lugar e quando você quiser seguimos para as montanhas.

— John, porque nunca me conta nada sobre seu passado?
— Não é verdade, mocinha! Você já sabe praticamente tudo que aconteceu na minha vida, desde que cheguei aqui. Ou pelo menos tudo que foi importante.
— Mas nunca conversamos sobre sua vida antes da queda. Não sei nada sobre isso.
— Porque não quero encher sua cabeça com coisas que não tem relevância. Não fazem mais parte da minha realidade há muito tempo. O que precisa saber é que pela primeira vez, desde que cheguei a esse mundo, minha vida faz sentido. Sinto-me verdadeiramente feliz e o motivo disso é você.
— Mas John...
— Além disso, tem outras coisas bem mais interessantes que eu quero fazer agora.

Meu desejo de obter alguma informação sobre sua vida anterior a queda estava longe de ser saciado com aquela resposta, mas Johnatan já afastava a toalha que cobria meu corpo, impedindo que eu pensasse em outra coisa, senão no toque suave de seus lábios em minha pele.

Dois dias depois e estávamos de volta à estrada, a caminho de St. Moritz. Tomamos a rota para as imponentes montanhas, com suas paisagens de tirar o fôlego, que variavam de densas florestas a picos nevados.

Ao entrar na cidade, foi notória a diferença na paisagem. Pequenos e grandes chalés cobertos de neve começavam a tomar conta do ambiente. Encantada, me rendi àquela visão que admirava com tanto prazer.

Desde pequena gostava da neve. Sempre que possível minha família saía de férias para os Alpes e eu adorava as brincadeiras. Em cidades como essa era impossível não me entregar à sensação de nostalgia.

— Algum problema, minha pequena?
— Não! Só estava pensando em algumas coisas do meu passado. Quando era criança, todo ano meus pais me levavam para uma temporada nas montanhas da França.

— Sente falta deles, não é?

— Sim... muita! Mas não foi para isso que viemos aqui. Tenho certeza de que eles não gostariam de me ver triste.

— É assim que se fala. Você tem uma qualidade rara, meu amor.

— Sempre fui otimista e acho que após minha conversão isso aumentou.

— Estamos chegando! Vamos nos hospedar, nos agasalhar melhor e saímos para curtir o resto do dia. Que tal? Temos que aproveitar ao máximo, já que vamos ficar pouco tempo.

Dentro do antigo e charmoso chalé que abrigava o hotel, a sensação térmica era totalmente diferente. O ambiente era aquecido a uma temperatura agradável aos humanos e não havia necessidade das pesadas roupas de inverno. A recepção era composta de enormes sofás, onde os hóspedes podiam se reunir e aguardar os guias, antes de sair para os passeios nas estações de esqui. Tudo muito bem planejado para oferecer um ambiente aconchegante aos turistas.

Enquanto aguardava, olhei pela janela e admirei a neve, que começava a cair lá fora. John conversava com o recepcionista sobre nossa reserva.

— Venha amor. Já ajeitei tudo. Vamos subir. Nosso quarto é no segundo andar.

Havia pequenos chalés, bem próximos ao prédio principal do hotel, para quem busca um pouco mais de privacidade. Mas, como ficaríamos apenas dois dias, John achou melhor reservar uma das suítes do chalé principal, para termos todas as mordomias bem à mão. Foi assim que ele justificou sua escolha.

O quarto era grande, com uma cama maior que o padrão. Havia ainda um pequeno closet para acomodar as bagagens, uma poltrona no centro, de frente para a lareira, e a decoração era em tom amadeirado, muito apropriada. O banheiro tinha uma hidromassagem, que já estava abastecida com diversos tipos de sais de banho e espumas aromáticas.

— Carlie, vamos! Já estou pronto. Só precisava colocar um agasalho — John fez uma pausa ao me ver — Você não vai se trocar para sairmos?

— Muito fofo da sua parte se preocupar comigo, mas sou muito resistente. Não vou pegar um resfriado amor e além do mais, eu gosto do frio.

— Minha pequena aventureira! — ele brincou — Está certo, mas não queremos chamar atenção. Então, seja uma boa menina e coloque seu casaco.

Saímos do hotel para a rua, que a essa altura já estava coberta com uma fina camada da neve que acabara de cair, se acumulando nas árvores, nos carros e deixando tudo branco.

— Você não parece estar se divertindo muito, apesar do entusiasmo que demonstrou quando sugeri que viéssemos para cá.

— Não é isso John. Eu estou adorando. É que...

— Eu sei. Por mais forte e otimista que seja você também é muito amorosa e sente falta deles.

— É... parece que sinto mais do que eu poderia imaginar.

— Gostava de fazer anjos de neve quando era pequena?

— Claro que sim. Era uma das minhas brincadeiras preferidas.

— Hum! Acho que já sei como fazê-la sorrir de novo. Vem comigo.

John saiu me puxando pela mão. Praticamente me arrastando para o fim da rua, atrás do hotel, nos limites do bosque de pinheiros.

— Aonde vamos?

— Para onde não possam nos ver.

Foi tudo que ele disse, antes de me puxar por entre as árvores cobertas de neve. A cada passo nos distanciando mais, até chegar a uma clareira totalmente isolada. Não havia nada por perto. Era apenas uma enorme área branca, com muitos pinheiros em volta.

— Afinal, o que viemos fazer aqui?

— Se eu posso fazer isso para lutar, porque não fazer para alegrar minha garota?

— Fazer o quê? O que você está tramando?

— Ah! Vejo que a curiosidade já aparece em seu rosto — ele respondeu brincando — Ok! Prepare-se. Vou mostrar, mas tem que ficar quietinha.

Johnatan caminhou até um ponto no centro da clareira e lentamente, fechou os olhos, abrindo os braços. Ainda não compreendia o que ele planejava, até que uma imagem começou a se formar em suas costas e então, entendi o motivo do isolamento.

Fiquei parada, admirando, enquanto ele manifestava sua verdadeira forma. Aquela era realmente uma surpresa fascinante, mas ele ainda me surpreenderia mais.

Com as asas abertas, iniciou pequenos movimentos giratórios, acelerando pouco a pouco, fazendo a neve subir. E quando dei por mim, estava dentro de um pequeno redemoinho. A neve caindo a minha volta, como uma chuva sobre minha cabeça. Meus olhos brilharam como os de uma criança, enquanto pequenos flocos cobriam meu rosto.

Fechei os olhos sorrindo e desfrutei daquela experiência encantadora, que ele criou só para mim. Quando voltei a abri-los, ele já havia recolhido as asas e estava parado, me olhando com uma expressão de dever cumprido.

— Assim é bem melhor. Gosto quando vejo você sorrindo.

— Isso foi incrível! Um anjo literalmente entrou na minha vida, para me fazer a mulher mais feliz do mundo.

— Eu sei disso.

— Ah é? Convencido. Acha mesmo? E que tal isso?

Antes que ele pudesse reagir, abaixei e peguei uma pequena quantidade de neve. O suficiente para fazer uma bola e arremessar em seu peito.

— Ah! Sua vampira sorrateira. Você quer guerra? É isso que você quer, não?

Não sei quanto tempo permanecemos ali, jogando bolas de neve um no outro ou simplesmente estirados na clareira como duas crianças, mas quando retornamos ao hotel o sol já começava a se pôr e não fosse pelos casacos impermeáveis, estaríamos ensopados até a alma.

— Amor! Não quero torturá-la com assuntos que não sejam sobre nossas férias, mas preciso usar o computador e resolver algumas pendências. Pensei em descer e fazer isso enquanto você descansa um pouco, e mais tarde podemos sair. Que tal?

— Ótimo! Assim posso aproveitar aquela banheira enorme sozinha — respondi sorrindo.

Durante os meses em que estava com John eram raros os momentos em que ficava só, mas ele sempre encontrava um jeito de me dar alguns minutos de privacidade e isso era bom. Não que eu não gostasse de dividir todo meu tempo com ele, mas algumas coisas, como me alimentar, por exemplo, preferia fazer longe de seus olhos. Era como um pacto silencioso entre nós e ele sempre respeitava esses momentos.

Assim que ele se foi, entrei no banheiro despindo as roupas. Coloquei a banheira para encher e despejei um pequeno vidro de espuma de rosas. O aroma da espuma logo encheu o ambiente, proporcionando uma agradável sensação.

Enchi uma taça com a reserva de sangue que trouxe comigo e mergulhei na banheira. A água quente e o vapor perfumado cumpriram bem o seu papel, fazendo meu corpo relaxar instantaneamente.

Meia hora depois, ainda vestindo o longo roupão felpudo, eu observava a noite através da janela do quarto.

— Princesa! Onde você está?

O rosto de Donovan surgiu no vidro a minha frente. Perdi completamente a noção do tempo, hipnotizada pela imagem que flutuava refletida na janela.

— Carlie! Carlie?

Johnatan segurava meu braço fazendo uma leve pressão, enquanto tentava em vão me despertar.

— O que aconteceu?

— Eu... Não sei. Quer dizer, estava só olhando o movimento lá fora.

— Você estava estranha, parecia hipnotizada. Estou te chamando há um tempão e não me ouve. Não é a primeira vez que percebo isso — ele falou apreensivo — Tem alguma coisa te incomodando?

— Não. Está tudo bem, amor. Foi só distração minha.

— Distração... ok! — ele concordou, mas sua voz deixava transparecer que não acreditava nem um pouco em minha desculpa.

— E então John, você ainda quer sair? Eu adoraria uma taça de vinho e quem sabe encontramos algum lugar para dançar.

— Isso seria perfeito!

Johnatan escolheu um restaurante próximo ao hotel onde estávamos hospedados. O ambiente era acolhedor e romântico, com luz baixa e velas sobre as mesas. Sempre prevenido, ele havia feito a reserva enquanto eu me vestia. Fomos levados até uma mesa perto da janela, o que nos proporcionava uma total visão do vale, que àquela noite estava totalmente branco, pela neve que caiu no fim do dia.

— A vista é deslumbrante! Adorei sua escolha.

— Você ainda não viu nada. A noite está apenas começando, minha pequena.

Enquanto conversávamos um garçom nos serviu pãezinhos, torradas e pastas, o que significava que eu teria que comer, ao menos o suficiente, para parecer normal aos padrões humanos.

Logo em seguida veio a entrada. Uma galantine de legumes acompanhada de uma taça de Fendant, um vinho branco produzido com uvas locais, de aroma floral muito agradável. Em seguida, um gaganeli recheado ao molho de queijos, que claro, John fez questão que eu provasse.

Toda aquela comida era um pouco demais para mim, mas o Maître de Chais Humagne Rouge que ele escolheu para acompanhar o prato principal se revelou uma boa surpresa. Não que eu fosse especialista em vinhos, mas me considerava uma boa apreciadora, e durante o tempo que convivi com Donovan aprendi a reconhecer os vinhos de qualidade.

Tinha que reconhecer que o jantar que John planejou foi perfeito e saber que ele fazia tudo especialmente para mim só me deixava cada vez mais apaixonada.

— Eles têm um bar anexo com pista de dança. Quer ir até lá?

— Claro! Sabe que adoro dançar.

— E o que estamos esperando? Venha!

John segurou minha mão e me conduziu através do salão do restaurante até uma porta fechada, que dava acesso ao anexo. Imaginei que seria uma boate, com música eletrônica e muita gente animada na pista, mas para minha surpresa o ambiente era romântico, a música suave e havia poucos casais que dançavam juntos.

Presenteando-me com um sorriso contagiante, ele estendeu a mão e me deixei conduzir para o centro do salão. Começamos a dançar. Suas mãos envolvendo minha cintura, as minhas em seu pescoço, acariciando suavemente seu cabelo... toda minha atenção concentrada em seus olhos.

Quando o DJ fez soar as primeiras notas de Angel, uma linda canção de Sarah Mclachlan, o sorriso voltou a iluminar o rosto de Johnatan e não tive dúvidas de que aquele era mais um dos detalhes que ele planejou, para deixar nossa noite ainda mais perfeita.

E em meio a tantas emoções surge uma tormenta em meu coração, da qual, sinto que não posso escapar sem me ferir.

Capítulo 3
Fatos inesperados

Na manhã seguinte despertei cedo. Tínhamos combinado de passar o dia esquiando e eu estava ansiosa. Ainda na cama, vasculhei o quarto a procura de John, mas ele não estava. Pensei que tivesse descido para tomar o café da manhã, mas então, ouvi sua voz vinda do banheiro.

— Você sabe que isso acabou e já faz muito tempo. As coisas agora são diferentes.

Ele fez uma pausa. Parecia conversar com alguém ao telefone. Fiquei atenta para ver se identificava a pessoa do outro lado da linha.

— Não sei quando volto e provavelmente você já terá partido quando isso acontecer.

Nova pausa e então, veio a confirmação que eu esperava.

— É claro que também quero vê-la, Claire. Mas não posso alterar meus planos e voltar assim para o Brasil. Carlie não vai entender.

Já tinha ouvido o suficiente. Levantei da cama, afastando as cobertas e fazendo mais barulho do que o necessário. Estava decidida a pôr um fim naquela situação de uma vez por todas. Abri a porta e entrei no banheiro, sem dar qualquer chance a John de esconder o que acontecia.

— Não vou mesmo. Então é isso? Essa mulher vai ficar no seu pé agora, atrapalhando nossas férias? Ela não tem uma missão para cumprir aqui? Ou a missão dela é acabar com nossa relação?

Pensei que John ia se desculpar com ela pelo meu rompante, tentar amenizar a situação e prometer que ligaria de volta, mas a reação dele me quebrou.

— Preciso desligar agora e, por favor, não insista mais nisso. Já fiz o que podia para ajudá-la e não há mais nada que eu possa fazer nesse caso.

Fiquei parada no meio do banheiro, me sentindo uma completa idiota por desconfiar dele. Estava claro que, apesar das investidas de Claire, ele não estava interessado. E agora, depois da minha ceninha de ciúme, não sabia como agir.

Foi ele quem rompeu o clima de mal estar que se instalou.

— Amor! Preste atenção, ok? Não há nada para você se preocupar. Eu emprestei a casa para ela, mas é só isso. Não existe nada acontecendo aqui. Estamos bem e vamos continuar assim. Certo?

— Certo... Desculpa! Eu não devia ter entrado assim. Sei que você não faria nada pelas minhas costas. Você não é assim. Agora me sinto uma boba.

— Shi... Não! Você não é uma boba, é uma mulher apaixonada. E se quer saber, eu é que devia ter ciúmes de você. Acha que não vejo como os homens reagem quando olham pra você? — John me puxou para si, abraçando-me — A não ser que você prefira passar o dia na cama, é melhor começar a se arrumar.

Uma hora depois da discussão no banheiro, estávamos na loja da estação de esqui, escolhendo as roupas e os equipamentos. Queria algo mais discreto, mas John praticamente me obrigou a vestir um traje pink, que ele insistia em dizer que ficava lindo em contraste com minha pele branquinha. Enquanto isso, ele escolhia uma roupa preta para si.

Aquilo não era muito justo. Eu me sentia como um daqueles bonecos de neve, decorados com acessórios supercoloridos. Mas, o que uma garota não faz para agradar o homem que ama?

Entramos na fila do teleférico e em poucos minutos chegamos ao topo da montanha. Havia duas trilhas principais. Uma para iniciantes, outra de dificuldade média, e ainda uma terceira pista que seguia mais ao norte, pouco usada pelos turistas.

Não sabia o quanto Johnatan dominava os esquis, mas optamos pela segunda pista, onde o movimento não era tão intenso quanto na pista de iniciantes.

A primeira descida foi tranquila e muito divertida. John era melhor do que eu supunha e pouco tempo depois, estávamos de volta à base da estação.

— Você é bom nisso. Onde aprendeu a esquiar assim?

— Você não é a única que está por aqui há várias décadas, mocinha. Aprendi em minhas andanças pela América Latina. Existem pistas muito boas no Chile e na Argentina.

— Se você é tão bom assim, acho que não vai recusar um pouco de competição. Que tal?

— Você é quem manda, senhorita!

Voltamos para o teleférico, mas dessa vez escolhi a terceira pista.

— Tem certeza? Não vou parar para te esperar.

— Convencido! Depois que eu ganhar de você não vai mais ter esse risinho em sua linda boca.

— Quem disse que vou deixar você ganhar?

— Não precisa. Eu chegarei à sua frente de qualquer maneira — respondi rindo, e antes que John tivesse tempo de contestar, cravei os bastões na neve e iniciei a descida.

— Ei! Sua trapaceira! Não pense que com isso vai se sair bem, estou logo atrás de você.

Podia ouvir a risada gostosa de Johnatan à minhas costas, enquanto ganhava velocidade na neve, me afastando ainda mais dele. A sensação de liberdade era incrível. O vento gelado no rosto me fazia sentir viva.

Estávamos praticamente sozinhos na pista, já que a maioria das pessoas optava por descer as trilhas mais conhecidas e seguras. A minha frente era possível ver a grande curva para a esquerda, limitada por um bosque de pinheiros de um lado e algumas pedras do outro, que terminavam em um penhasco com vista para o vale e seu majestoso lago, com os chalés que abrigavam os hotéis e o comércio local.

Já tinha atingido uma alta velocidade e sabia que precisaria reduzir para fazer aquela curva bem feita ou John teria oportunidade de me ultrapassar. De repente, a bela paisagem a minha frente desapareceu. A curva já não estava mais lá e tudo que eu via era o rosto de Donovan, flutuando na imensidão branca. Tentei usar os bastões para me equilibrar e projetei o corpo, mas já era tarde.

Hipnotizada pela imagem e sem enxergar o caminho, passei direto pela curva e só parei quando bati contra as pedras, que impediram que eu fosse arremessada do penhasco.

— Carlie!

Ouvi o grito de Johnatan. Sua voz, combinada a dor que agora surgia em minha perna, fez a visão se dissipar.

— Você está bem? O que aconteceu?

— Eu... não sei.

— Como assim não sabe? Você simplesmente seguiu em frente. Nem ao menos tentou fazer a curva.

Sabia que John estava certo e diante daquela situação, não tinha mais como esconder o que vinha acontecendo. Teria que contar sobre os chamados.

— Consegue ficar de pé?

— Acho que não. Minha perna está doendo muito.

— Deixe-me dar uma olhada.

— Ai!

John rasgou a calça até a altura do meu joelho, revelando o motivo da dor.

— Está quebrada e é bem sério. Tenho que buscar ajuda e tirá-la daqui.

— Não John! Não pode fazer isso.

— Mas amor, isso é grave. Você não vai conseguir andar assim e não posso carregá-la sozinho montanha abaixo. Chamaríamos muita atenção.

— Eu sei. — respondi consternada — Mas, se pedir ajuda, vão me levar para uma enfermaria e seria desastroso. Precisamos resolver entre nós.

— Quanto tempo você acha que precisa, até se recuperar e poder andar?
— Não sei. Duas ou três horas, talvez. Seria mais rápido se eu me alimentasse.
— Não podemos ficar aqui por tanto tempo. Logo alguém vai descer e nos encontrar, e vai ser impossível evitar que chamem a equipe de socorro.
— John, preciso que você impeça. Não posso simplesmente ir para a emergência médica.
— E o que devo fazer?
Olhei ao redor buscando uma solução. A única opção era o bosque de pinheiros, do outro lado da pista.
— Ali — apontei — Consegue me levar até lá?
— Claro que sim — ele respondeu tirando os esquis. — Fique bem quietinha. Não quero que sinta mais dor do que já está sentindo, quando eu te erguer.
Concordei com um movimento de cabeça.
— Preparada?
— Estou pronta — respondi, fingindo uma coragem que estava longe de sentir.
John me carregou até o outro lado. Esforcei-me para conter a dor até que ele me colocou no chão, apoiando minhas costas em uma árvore.
— Tudo bem?
— Tudo, mas preciso fazer uma tala antes que o osso comece a calcificar.
— Do jeito que fala parece que já passou por isso antes.
— Passei por muitas coisas, mas eram outros tempos.
— Tudo bem. Deixa que eu faço isso pra você. Apenas, tente relaxar um pouco. Eu já volto.
— Como se fosse fácil — resmunguei para mim mesma enquanto observava Johnatan se afastar, para logo retornar com um pedaço de madeira, que certamente arrancou de uma das árvores.

— Vou precisar cortar isso. Pode doer um pouco. Não se mova — ele falou, apontando para a boca da calça, que agora estava rasgada em duas partes.

— Tudo bem.

Fechei os olhos e esperei. John usou o tecido que rasgou da calça e fez um torniquete, imobilizando minha perna. Voltei a abrir os olhos quando senti suas mãos acariciando meu rosto e me deparei com seu olhar. Só então percebi a angustia presente nele.

— Ei anjo! Eu vou ficar bem. Sou uma vampira, esqueceu? Só preciso de tempo para me recuperar.

— Sei que não é tão simples assim. Vai ficar boa, mas até lá vai sentir dor. Está sofrendo e não posso fazer nada para evitar.

— Não deve pensar assim. Não foi sua culpa.

— Vai me contar o que aconteceu realmente? — ele perguntou, sentando a meu lado e me envolvendo em seus braços.

Contei a ele tudo que vinha acontecendo, desde a primeira vez que ouvi a voz de Donovan chamando meu nome, até a visão que causou o acidente.

— Você tentou falar com ele?

— Liguei para o celular e também tentei o apartamento em São Paulo, mas ninguém atende. Acho que ele não voltou pra lá.

— Provavelmente vou me arrepender disso assim que perguntar, mas... você quer voltar para o Brasil e procurar por ele?

— Não amor! Não vou deixar que ele estrague nossa viagem. Foi ele que se afastou sem ao menos se despedir. Deixou-me naquele hotel em Nova Orleans com você e partiu. Além disso, combinamos ir até a França e quero muito voltar ao meu país de origem.

— Você é quem sabe, mas se mudar de ideia é só dizer. Não vou ficar chateado. Só tem uma coisa que não entendo nisso tudo: de onde vem essa ligação tão forte que existe entre vocês?

Aquela era uma pergunta que eu também gostaria de poder responder. Assim como várias sobre minha existência atual, ela permanecia um mistério. Então, me limitei a desviar o olhar para o horizonte, na esperança de que John não insistisse no assunto.

De onde estava não tinha visão da pista, mas de vez em quando podia ouvir alguém se aproximando da curva, descendo a montanha. Dificilmente nos veriam, já que as árvores nos serviam de proteção. Olhei para o céu e um pensamento me incomodou.

— Acho que temos um problema.

— Por quê?

— A temperatura está caindo rápido. Parece que vem uma nevasca por aí.

— Talvez você esteja certa. Precisamos fazer alguma coisa. Como está a fratura?

— Melhor, mas ainda não posso ficar de pé. Se ao menos pudesse me alimentar... agilizaria o processo.

— Então é isso que vamos fazer.

— Como John? Não tem nada por perto, a não ser...

Ele me olhou sério.

Não terminei a frase, em lugar disso um silêncio pesado caiu sobre nós.

— Eu não vou fazer isso. Não na sua frente. Nem pensar.

— Carlie, sei que isso vai de encontro aos seus hábitos, mas se começar a nevar não teremos onde nos abrigar. Não vou deixá-la aqui e não posso levá-la de volta ao hotel sem me revelar.

Sabia que ele tinha razão. Por mais que aquela ideia não me agradasse, era a única solução para sairmos dali.

— Amor, me escute sim? O que sinto por você não vai mudar por causa disso. Só quero que fique bem.

— Está se esquecendo de um detalhe: não posso levantar com a perna assim. Você teria que trazer alguém até aqui.

— E é só isso que preciso fazer?

— John! Não quero que faça isso por mim.

Pensei em argumentar, mas já era tarde. Johnatan se afastou em direção a pista e só me restava esperar.

Tentei me concentrar no que deveria ser importante ao escolher uma vítima. Nunca tinha feito isso e na verdade não sabia exatamente o que buscar, então usei meus próprios critérios.

Ouvi o som inconfundível das lâminas de esquis deslizando na neve. Concentrei-me na pessoa que se aproximava. Um homem, jovem, aparentemente bem saudável. Ele teria que servir.

— Ei! Ajude-me aqui.

Gritei, acenando com os braços para chamar sua atenção quando se aproximou.

— Preciso de ajuda.

O estranho parou um pouco adiante, os esquis deixando um sulco na neve.

— O que houve amigo?

— Minha namorada. Ela caiu e acho que está muito machucada. Consegui retirá-la da pista, mas ela não consegue andar. Será que poderia dar uma olhada?

— Não entendo nada disso. Acho que o melhor a fazer é terminar a descida e avisar o pessoal do resgate.

— Você está certo, talvez seja o melhor mesmo, mas é que ela está muito nervosa. Não sei mais o que fazer para acalmá-la. Quem sabe se você explicar ela fique mais tranquila, sabendo que o resgate já está a caminho.

— Tudo bem! Vamos até lá.

— É por aqui. Encostei-a naquela árvore. Achei que ficaria mais confortável até o socorro chegar. A propósito, meu nome é Johnatan e obrigado por parar.

— Tudo bem Johnatan, vamos falar com a sua garota.

———••'♀'••———

— É! Seu namorado tinha razão. Isso aqui parece bem feio moça. Você precisa do resgate urgente.

— Desculpe, mas qual é mesmo o seu nome?

— Marcus.

— Marcus — repeti, olhando fixo em seus olhos — Você vai fazer o que eu mandar e não vai gritar, entendeu?
— Entendi.
— Tire a luva e me dê sua mão.
Fazer aquilo já era bem ruim e a presença de Johnatan só servia para tornar tudo ainda pior. Segurei a mão do homem estendida a minha frente e cravei os dentes em seu pulso. Procurei ser o mais rápida possível e só beber o suficiente para me recompor.
— Preste atenção, Marcus! Vai voltar para a pista e esquecer o que aconteceu aqui, e em hipótese alguma vai mostrar isso para alguém.
O homem obedeceu, desaparecendo entre as árvores de volta a pista, e fiquei ali por mais algum tempo, aguardando até estar em condições de caminhar novamente. John não fez nenhum comentário sobre o que aconteceu, mas eu sabia que alguma coisa mudaria a partir de hoje. Ninguém sai imaculado de uma situação como essa.
Depois de minha desastrosa experiência nas montanhas, decidimos deixar a Suíça, e na manhã seguinte seguimos para a França, minha terra natal, a qual eu não havia retornado desde que parti com meus pais na década de trinta.

Versailes. Antiga cidade real. Sede de poder politico e berço da revolução francesa, mas para mim era apenas lar. Foi lá que nasci e onde passei toda minha infância, cercada pelo simbolismo e a magnitude daquela cidade fantástica, que mistura arte, cultura e história de mudanças sociais como nenhuma outra.
Voltar a Versailes era como dar início a uma jornada ao passado.
Mais do que visitar o antigo e deslumbrante palácio, com seus magníficos jardins e fontes, que fora transformado em museu quando eu ainda era menina, o que eu desejava mesmo era retornar a pequena Rue Ernestine.
Para minha alegria, a casa de minha infância permanecia quase intacta, tal qual recordava em minhas memórias, com suas paredes de pedra, as janelas brancas com a pequena varanda no segundo piso e as árvores no quintal.

Imediatamente, fui transportada aos dias em que era apenas uma garotinha me escondendo no jardim, quando por algum motivo que eu mal compreendia, minha mãe ficava irritada com minhas travessuras. Dias inocentes em que eu não podia imaginar o que o futuro me reservava.

Por um momento, meus olhos se encheram de lágrimas silenciosas que ameaçavam rolar, mas a voz de Johnatan me trouxe de volta ao presente.

— Tudo bem com você?

— Tudo. Acho que não estava preparada para isso. Pensei que a casa não existisse mais.

— Você precisa de um pouco de distração e sei exatamente onde podemos encontrar. Venha!

John me levou pela mão e seguimos pelas estreitas ruas residenciais até o Mercado de Notre Dame, onde o cheiro das frutas frescas e a mistura de cores era um delicioso convite aos turistas. Caminhamos entre as barracas, vendo as pessoas sorridentes e barulhentas em sua alegria, e foi impossível não me deixar contagiar.

— Você tinha razão. Às vezes, acho que me conhece melhor que eu mesma. Sempre sabe o que preciso para me sentir bem.

— Você ainda não viu tudo.

John me levou através do portal e saímos para a rua com calçamento de pedras. Inúmeras barracas estavam expostas, como uma feira ao ar livre. Paramos em frente a uma tenda, onde ele comprou um lindo ramo de pequenas e delicadas flores campestres coloridas, e colocou em minhas mãos. O perfume suave se espalhou rapidamente.

Sentamos em um dos vários cafés que margeavam a rua, entre charmosas lojas de doces e boutiques de grifes. John pediu um café para ele e alguns petit fours que insistiu que eu comesse.

Tinha que admitir que eram mesmo deliciosos.

Pedi uma taça de vinho rosé para acompanhá-lo e passamos o resto da tarde observando o alegre movimento da rua.

No dia seguinte, trocamos o hotel em Versailes por outro no centro de Paris. Pretendíamos passar alguns dias na cidade, antes de seguir viagem até a Espanha, mas um imprevisto mudaria nossos planos.

— Não!

O grito desesperado escapou da garganta, ao mesmo tempo em que abri os olhos.

— Está tudo bem, amor! Foi um pesadelo, você estava sonhando.

— John, eu me lembro de tudo.

— Lembra de quê? Do que está falando?

— O acidente que matou meus pais. A visão que tive quando estava presa no Castelo do Anjo. Não foi um pesadelo, John. Era com isso que estava sonhando.

— Calma! Sente e me conte tudo, bem devagar.

— Quando Yuri me fez refém no Castelo do Anjo, antes de você chegar com Donovan, eles me induziram ao sono para revelar lembranças do meu passado. Coisas que, por algum motivo, minha mente apagou. Foi como assistir a um filme. Um pouco confuso, com cenas cortadas, mas estava tudo lá. Uma parte do passado de Donovan, minha vida humana, meus pais e o acidente. Não sei por que só lembrei-me disso agora.

— Tem certeza que eram lembranças suas? Eles podem implantar coisas na sua mente que não são verdadeiras, não podem?

— Podem sim. Mas nesse caso não, John. Tenho certeza que as imagens eram reais.

— Talvez seja melhor assim, meu amor. Ao menos agora você sabe o que aconteceu com eles.

— Aí é que está o problema! Eu não sei. Quer dizer, lembro-me de coisas que não lembrava antes, mas não foi um acidente, John.

— Como assim, não foi acidente? Você me disse que seus pais morreram em um acidente de carro.

— Isso era o que eu pensava, porque não tinha muitas lembranças daquela noite, mas agora eu sei. Tinha alguém lá, um homem. Ele causou o acidente e matou meus pais, e acho que ele é o responsável pela minha conversão.

— E você viu esse homem? Sabe quem ele é?

— Não. Quando estava prestes a ver o rosto dele, fui chamada a despertar. Não pude vê-lo, mas tenho a sensação de que não é alguém estranho.

— Bem, talvez você já tenha cruzado com ele em algum momento. É possível, não?

Revivi mentalmente os rostos de meu passado, desde que fui abraçada até os dias atuais, na esperança de descobrir através daquele vulto o responsável pelo assassinato de meus pais e pela minha transformação, mas não havia nada que pudesse ajudar a identificá-lo.

— Sim. É possível.

— O que foi? Carlie, no que está pensando?

Demorei a responder, analisando a situação, até que tive certeza do que deveria fazer.

— Precisamos voltar ao Brasil, John. Tenho que encontrar Donovan. Ele pode ter respostas que me ajudem a descobrir quem é o homem da minha visão.

Sigo com o que me resta na vida: um coração fechado, um corpo gelado e uma alma pela metade, repleta das lembranças do que sonhei para nosso amor.

Capítulo 4
De volta ao Brasil

Após a batalha contra os Among Us, no Castelo do Anjo em Nova Orleans, decidi me afastar de Carlie e seu romance com Johnatan Fallen, e voltei para o Brasil. Afinal, ela fez sua escolha e não faço o tipo que fica para servir de plateia.

Meses se passaram, mas era impossível tirá-la da cabeça. A simples ideia de Carlie nos braços daquele sujeito me fazia surtar. Raiva, desprezo, depressão e vários outros sentimentos, ainda menos nobres, cresciam dentro de mim a cada dia, a cada semana que passava.

Ficar sentado no apartamento, remoendo o fato de que provavelmente os dois estariam agora se amando e se divertindo, era deprimente. Pior ainda era pensar que a perdi justamente para ele.

— Maldito Johnatan Fallen! Maldita seja toda a raça dos caídos! Aqueles vermes desprezíveis.

Precisava encontrar uma maneira de tirar Carlie da cabeça, antes que fosse totalmente consumido pela lembrança dela.

Não havia outro jeito. Ou voltava a ser o antigo Donovan, ou aquilo ia acabar comigo. Felizmente, eu sabia exatamente o que precisava fazer para trazê-lo de volta e um pouco de diversão era um bom começo.

As noites de São Paulo podiam ser bem quentes, para alguém que conhecesse os lugares certos e tivesse uma boa grana disponível. E foi por aí que comecei minha viagem de volta aos velhos tempos, antes que a presença de Carlie mudasse minha vida.

Passava os dias apagado, jogado na cama, me recompondo, enquanto as noites eram dedicadas a diversão, nas mais badaladas boates da cidade. Por vezes, emendando uma coisa na outra, até não saber mais ao certo onde estava ou com quem estava.

Bebia quantidades absurdas, saía com diversas mulheres e me dedicava a saciar minha sede como há muito tempo não fazia. Tudo no intuito de esquecê-la. Porém, no final de cada noite, acabava sempre sozinho no sofá do apartamento, com um copo de uísque na mão e deploravelmente pensando nela.

Nunca poderia imaginar que eu, o poderoso Donovan Hunter, príncipe de uma família temida por tantos, estaria algum dia nessa situação. Totalmente apaixonado por uma mulher e rejeitado. Trocado por um caído.

Era lastimável o estado em que me encontrava, bebendo sozinho e convocando-a sem receber resposta.

Até que certa noite, ainda embriagado, me entreguei mais uma vez a mórbida e degradante tarefa de imaginar o que ela estaria fazendo, enquanto a convocava mentalmente, quase por instinto. Foi então que finalmente a alcancei.

Ela estava lá, se preparando para tomar uma ducha. A pele branca, os cabelos negros. Ainda mais linda do que quando surgia para me torturar em meus sonhos, e estava ao meu alcance. Podia senti-la, quase tocá-la. Tudo que eu desejava naquele momento era estar lá de verdade.

Antes que ela entrasse no banho, forcei a conexão chamando-a pelo nome, e pela primeira vez depois de tanto tempo, ela reagiu.

Percebi que estava recebendo o chamado quando, por alguns instantes, ela vacilou. Observei quando ela se segurou na bancada da pia, como se tentasse entender o que estava acontecendo. Sorri, satisfeito com meu pequeno sucesso, mas demorou pouco. Logo a conexão foi cortada pela presença do caído.

Aquele maldito anjo! Sempre no meu caminho. Mas agora, eu sabia que nossa ligação ainda era forte e isso me bastava por enquanto.

Não foi intencional, mas aquilo acabou se tornando um prazer meio sádico e de vez em quando, depois de uma noitada, eu voltava para casa e me dedicava a convocá-la.

Algumas vezes, não conseguia completar a conexão e acabava dormindo ali mesmo, sentado no sofá, totalmente entregue ao efeito do uísque. Mas em outras a alcançava e quando isso acontecia, o egoísmo tomava conta de mim. Agia sem pudores e fazia o possível para sustentar a convocação até que ela me ouvisse.

Tinha consciência de que estava me viciando em buscá-la e aquele era um jogo perigoso e sombrio, do qual eu precisava sair antes que arruinasse completamente o pouco de sanidade que ainda me restava.

Depois de um voo cansativo, com atraso de mais de uma hora, desembarcamos no aeroporto internacional de São Paulo. Johnatan conseguiu um taxi e me acompanhou até a entrada do edifício.

— Tem certeza que não quer que eu suba para te ajudar com a bagagem?

— Não precisa, amor! O porteiro pode fazer isso. Prefiro que você vá para casa e descanse um pouco. Vou passar no apartamento de Donovan e mais tarde ligo para você.

— Certo. Preciso mesmo de um tempo para conversar com Claire e me inteirar sobre os detalhes de sua missão.

— Eu preferia que ela não estivesse mais em sua casa.

— Já conversamos sobre isso. Não posso simplesmente chegar de surpresa e pedir que ela saia, e não quero mais discutir com você por causa dela.

— Eu sei. Também não quero brigar com você por esse motivo. Não vamos mais tocar nesse assunto, ok? Agora vá! Nos vemos a noite.

Enquanto conversávamos, um funcionário da portaria se aproximou e recolheu as malas. Despedi-me de Johnatan com um longo beijo e segui para o elevador. Ainda que a viagem com o anjo tivesse sido maravilhosa, era bom estar de volta.

A não ser por uma fina camada de poeira que havia se instalado sobre os móveis, o apartamento estava exatamente como deixei, ao sair de São Paulo meses atrás. Mas, muita coisa tinha mudado em minha vida desde então.

Deixei as malas na sala e fui direto para o banheiro. Depois de passar tantas horas no avião o que eu mais queria agora era um bom banho.

Abri a ducha e deixei a água morna cair sobre os ombros até sentir os músculos relaxarem. Voltei para o quarto pensando em Donovan e no motivo de minhas visões, mas antes de encontrá-lo deitei na cama e fechei os olhos, me entregando momentaneamente a um leve torpor.

Acordei confusa e estendi a mão para acender a luminária ao lado da cama. Onze e quinze da noite. Eu havia dormido mais do que planejara. Levantei, torcendo para que tivesse alguma roupa em bom estado no closet. Depois de todos aqueles meses fora seria uma sorte encontrar algo em condições de vestir, mas para minha surpresa a poeira não havia se instalado naquele ambiente como no resto do apartamento e pude até escolher entre algumas peças que havia deixado para trás, na ocasião de minha fuga da cidade.

Conferi o celular e verifiquei que não havia nenhuma chamada de John. Provavelmente ele também tinha dormido, para se recuperar do fuso horário. Assim era melhor. Teria oportunidade de conversar a sós com Donovan antes que o anjo chegasse.

Saí para o corredor imaginando como iniciar aquela conversa. A verdade é que estava morrendo de saudade dele, mas não sabia como seria recebida, depois do bilhete curto que ele deixou no hotel em Nova Orleans, antes de ir embora sem ao menos se despedir.

Bati de leve na porta, como sempre fazia antes de entrar, mas nada aconteceu. Toquei a campainha e esperei um pouco, mas ao que tudo indicava ele não estava em casa. Então, entrei e me deparei com o caos.

O belo apartamento, antes tão bem decorado, agora estava total desordem. Havia roupas usadas espalhadas por toda parte, copos sujos se acumulavam na cozinha, ao lado de garrafas de uísque vazias. Parecia que um furacão tinha passado por ali.

Chamei por Donovan, me dirigindo até o quarto, só para confirmar o que eu já sabia. Não havia ninguém. Nenhum sinal dele. Aquilo só serviu para me deixar mais preocupada. Alguma coisa muita estranha estava acontecendo. Don não era assim e eu precisava descobrir onde ele estava, do contrário não ficaria tranquila.

Voltei para meu apartamento e liguei para Johnatan.

— Tem certeza? Tudo bem. Estou a caminho. Não vá a lugar algum antes que eu chegue.

— Por favor, não demore.

Uma hora depois já tínhamos percorrido dois bares e uma boate sem encontrar qualquer sinal de Donovan, até que John voltou para o carro com uma notícia.

— Um cara o viu entrando no Clube Midnight. Vou deixá-la em casa e vou até lá. Não se preocupe! Prometo que não demoro e trago ele comigo.

— De jeito nenhum. Eu vou também.

— Amor, não está entendendo. Aquilo lá é barra pesada. Não é ambiente pra você.

— Se é assim como está falando, então é mais um motivo para eu ir. Preciso saber o que está acontecendo, John. E se Donovan estiver mesmo lá, pode não recebê-lo bem.

— Não vou conseguir dissuadi-la dessa ideia absurda, não é mesmo?

— Dessa vez não.

— Tudo bem, mas vou com você. Não vou deixá-la ir até lá sozinha.

Algumas horas antes...

Levantei-me do sofá, onde permaneci jogado por quase toda tarde. Tomei um banho e fui até a cozinha, em busca de alguma bebida. Servi uma taça do melhor vinho que tinha, só para começar a noite. Segui para o quarto e me detive, observando cuidadosamente o closet. Estava decidido a me proporcionar uma noite especial.

Optei por uma lã fina com gola V e uma calça preta. Peguei a chave da Ferrari e sem esperar mais, desci até a garagem, imaginando onde teria parado o carro na noite anterior, ou melhor, naquela manhã.

Clube Midnight. Era disso que eu precisava. Uma casa badalada, frequentada por todo tipo de gente do submundo. Vampiros, caídos, humanos e outras criaturas que não valia a pena mencionar, se misturavam em um ambiente luxuoso. Um lugar onde seres sem escrúpulo, mas com muito dinheiro, e nenhuma reputação com que se preocupar, podiam se divertir pra valer.

Parei o carro e logo fui recebido por alguns olhares curiosos.

— Senhor Hunter! Já faz muito tempo que não o vemos por aqui. Poderia deixar as chaves, por favor?

— Claro. Pegue — lancei a chave em sua direção —, mas quero que você estacione e não deixe ninguém se aproximar dele, entendeu? Qualquer suspeita me chame!

— Fique tranquilo, senhor!

Um pouco de precaução nunca era demais, principalmente depois dos acontecimentos dos últimos meses. Um grandalhão de terno preto, responsável pela portaria e que me conhecia de outros tempos, abriu caminho para que eu entrasse sem passar pela pequena fila que aguardava na calçada. Aquele era um bom sinal. Então, apesar da longa ausência, ainda era considerado um convidado Vip.

O Clube era o lugar perfeito para meu estado de ânimo. Sempre que tinha algum problema bastava ir para lá que tudo desaparecia.

Apesar do tempo que passei sem frequentar a casa, tive a grata surpresa de constatar que tudo permanecia igual. Salões de jogos, dançarinas nuas interagindo com os clientes, pole dance, danças no colo e o melhor, shows particulares em ambientes mais reservados, se é que me entende. Não bastasse isso, o lugar ainda oferecia um *cardápio* para o publico feminino, o que fazia com que a casa enchesse de belas mulheres, dispostas a uma boa dose de diversão perigosa.

— Ora ora! Se não é Donovan Hunter. Não esperava mais ver você por aqui. O que aconteceu? A princesinha escapou de seu controle ou deixou-o entediado?

— Lilly, não vamos falar nisso agora, ok? Essa noite só quero me divertir.

— Está me parecendo dor de cotovelo, mas tudo bem. Você veio ao lugar certo, querido. O que vai querer?

— O melhor pacote que só você sabe montar, mas com a mesma restrição de sempre.

— Nada de belas morenas ou brilhantes olhos azuis — ela completou rindo — Parece que nosso cliente número um está com muita fome hoje.

— Você não faz ideia — respondi, dando um tapinha em seu traseiro.

— Sem essa Donovan! Não faço parte do seu cardápio. Aguarde na S*uíte Master*. Vou providenciar o que você precisa.

— Mande subir uma garrafa do seu melhor uísque. Estarei lá aguardando e Lilly, surpreenda-me.

Lilly era uma vampira antiga. Loura, aparentando pouco mais de trinta anos. Já vivia em São Paulo muito antes de eu me instalar na cidade com Carlie.

Tornamo-nos amigos, se é que se pode chamar assim. Ela comandava o clube e alguns serviços privados também, e estava sempre disposta a ajudar.

Segui para o que ela chamava de Suíte Master. Uma ampla área, onde havia uma piscina, SPA com hidromassagem, uma enorme cama king size iluminada por leds, TVs de LCD com home theater e seis canais de sexvídeo, como se alguém usasse isso tudo.

Estava investigando o armário de brinquedinhos quando Lilly entrou, trazendo quatro mulheres. As louras eram estonteantes, mas a ruiva tinha um corpo perfeito. Poderia estar posando para revistas masculinas e com certeza seria um sucesso de vendas. Aquilo era mais que um banquete.

— Pedi que me surpreendesse, mas tenho que confessar que você se superou.

— Sei bem do que você está precisando e ainda lembro suas preferências. Estão entregues. Espero que tenha uma excelente noite.

— A noite está apenas começando. Pode ter certeza que ainda hoje desço para te fazer companhia.
— Você não muda mesmo, não é Donovan?
— Nunca!
— Até mais tarde. Divirta-se! — e Lilly completou em um sussurro — E vê se não drena minhas garotas. Elas precisam trabalhar amanhã.
— Vou tentar, mas você me conhece. Não posso prometer nada — respondi sarcástico.

Lilly com certeza trouxe as melhores meninas da casa e todas no melhor estilo para brincar com a imaginação do cliente.

A loura, mais baixa, estava vestida de cowgirl. Usava um body sexy e sugestivo, com cortes que enfatizavam sua cintura, franjas que simulavam uma saia e um lencinho no pescoço, o que só aumentava minha vontade de morder aquela pele linda e delicada. A outra parecia uma felina, com uma fita transpassada pelo corpo esguio. Seu único defeito era o cabelo curto, que não permitia enlaçar nas mãos como eu gostava. E o que dizer da terceira? Uma tentação em trajes minúsculos, pronta para atender minhas necessidades.

Mas a ruiva chamou minha atenção desde o início. Parecia uma atriz da década de cinquenta, usando lingerie de renda preta e saltos muito altos. Além de tudo, possuía um olhar misterioso, que me fazia imaginar muitas coisas más.

Dei um último gole no uísque e larguei o copo na mesa, ao lado do sofá de couro branco, que foi estrategicamente colocado em frente a uma parede espelhada, e fiz um sinal, indicando as meninas que estava pronto para dar início a nossa festa.

Para começar a animar um pouco as coisas, mandei que dançassem para mim. Isso é uma das coisas que realmente me excitam. O jogo de sedução, as posições de submissão, sentir a ansiedade em seus olhos quando as puxo para junto de mim, como se eu fosse a melhor coisa da vida delas.

Aquelas garotas com certeza eram capazes de me fazer esquecer o problema com Carlie, nem que fosse só por uma noite, e elas não deixaram por menos. Uma das louras tratou de tirar meu suéter, enquanto a ruiva me empurrou no sofá, e é claro que não ofereci nenhuma resistência. Já que as meninas estavam tão dispostas a trabalhar, porque interromper, não é mesmo?

Num instante, estavam todas em cima de mim, beijando, acariciando meu corpo. Pareciam dispostas a explorar cada pedaço, sem esquecer nenhuma parte. Sentia seus toques macios em minha pele, seus lábios quentes me provocando, testando meu desejo.

Até tentei me controlar, mas a vontade de sentir o gosto de cada uma foi mais forte e busquei o primeiro pescoço: a loura de cabelo longo, que estava ajoelhada entre minhas pernas. Quando a segurei pelos cabelos e puxei-a em minha direção, percorri com os lábios seu lindo pescoço. Senti o arrepio que percorreu seu corpo, ao cravar minhas presas em sua pele. Ela se contorceu, os seios roçando meu peito, seu corpo tomado pelo êxtase, a cada vez que eu sugava uma parte de seu sangue. Aquilo tornava seu sabor ainda mais doce. Seu corpo se arrepiava pedindo mais, mas minha atenção foi desviada para a ruiva que sentou em meu colo.

Agarrei-a pela cintura, arremetendo para dentro dela, deixando a loura de lado por um momento. Sua pele era quente, macia e cheirava muito bem. Comecei a beijá-la, brincando com sua língua em minha boca, fazendo com que se movesse cada vez mais rápido, enquanto as outras me acariciavam. Seu sangue pulsava forte, seus olhos imploravam para que a mordesse também, e foi o que fiz. Bebi cada gota oferecida como se fosse o melhor banquete de todos, como se fosse o último, enquanto me saciava de prazer carnal com aquelas quatro mulheres quentes e deliciosas.

Mas a noite estava apenas começando e eu não fazia ideia do que ela ainda me reservava.

— Vocês são maravilhosas, mas agora preciso dar um tempo. Tenho que descer para encontrar com Lilly.

Lá embaixo, percebi que o lugar estava mais cheio que o normal. Algumas pessoas eram novas ali, outras eu reconhecia. Eram frequentadores habituais, da época em que minha presença era quase uma constante na casa.

Avistei Lilly atrás de um balcão de bebidas e me aproximei.

— Minha bar tênder preferida! Pelo que pude ver isso aqui prosperou bastante, desde que parei de frequentar.
— Você continua irônico, como sempre.
— Não! Dessa vez são palavras sinceras.
— Já acabou a festinha?
— Ser direta sempre foi seu forte, mas talvez eu só queira beber alguma coisa na companhia de uma velha amiga.
— A bebida está aqui — Lilly respondeu, me estendendo um copo de uísque — já a companhia, não posso fazer muito. Como você mesmo mencionou, a casa está cheia e preciso atender os clientes.
— Pode até ser... Porém, nós sabemos que o único que você realmente quer servir está bem na sua frente.
— Quanta modéstia. Isso ainda funciona?
— O que posso fazer? As mulheres me tiram do sério.
— Se fosse há alguns séculos, até poderia me deixar levar pelo seu charme, mas esse tempo já passou Donovan. Além do mais, acho que não é disso que você está precisando.
— Sempre perspicaz, velha amiga! Mas você tem razão.
— Venha! Acho que posso parar por alguns minutos.
— Você é quem manda — acompanhei-a até uma mesa.
— Agora, me conte tudo. O que andou fazendo nos últimos anos? E o que te trouxe de volta, depois de tanto tempo?
— É uma longa historia.
— Bem, temos uma noite inteira pela frente.
— Se está mesmo disposta a ouvir, prepare-se.

Não sou muito de falar sobre minha vida com ninguém, mas Lilly era uma exceção. Atualizei os fatos sobre a relação com Carlie, desde que deixei de frequentar o clube. Contei sobre a batalha em Nova Orleans e sobre a interferência de Johnatan Fallen. Passamos o resto da noite conversando e demos ótimas risadas, assim como tive alguns momentos de reflexão. Sem contar os sermões que ouvi de Lilly.

Era exatamente o que eu precisava. Uma noite de extravagâncias, terminando com uma boa conversa, como nos velhos tempos.

Escutei sua voz entre os susurros do passado, abrindo espaço nos meus pensamentos confusos.
Eu te ouvi outra vez, quando pensei que nunca mais encontraria sentido para esperar o amanhã com a mesma intensidade que só você produz em mim.

Capítulo 5
O confronto

Com o intenso movimento no ambiente, não percebi a garota que se aproximava da mesa, até que já era tarde demais.

— Donovan!

— Carlie! O que está fazendo aqui?

— O que *você* está fazendo aqui, Don? E quem é essa mulher?

— Sua princesinha te encontrou e parece bem chateada — Lilly comentou irônica — Então, essa é a famosa Carlie Marie. Agora entendo o porquê dessa noite.

Ela estava realmente furiosa e como se estivesse dominado por um maldito feitiço, eu mal conseguia ouvir o que ela dizia, distraído em observá-la. Estava ainda mais linda do que quando a deixei em Nova Orleans.

— Essa noite? O que têm a noite? — e Carlie prosseguiu sem esperar resposta — Donovan, sinceramente. Como pôde fazer isso? Saio de tão longe, preocupada com você, sem saber o que estava acontecendo. Recebi seu chamado e vim te encontrar.

Audaciosa. Depois de tanto tempo, ela ainda se atrevia a falar comigo naquele tom.

— Um pouco atrasada, não acha?

— Pelo jeito estou muito atrasada mesmo, ou talvez você nem precisasse tanto assim de mim, já que está embriagado, em um clube cheio de garotas nuas e com essa aí ao seu lado.

— Ei! Vai com calma aí garota. Quem você pensa que é para entrar no meu clube e se referir a mim desse jeito?

— Não estou falando com você, estou falando com ele.

— E o que te faz pensar que tem o direito de falar assim comigo? — perguntei num tom arrogante, que nunca antes havia usado com ela.

— Escute aqui, Don.

— Não! Escute você. Eu cuidei de você durante anos, sempre te protegi. Dei apoio e te ajudei a superar todas as fases difíceis. Eu te amei, Carlie. E o que você fez? Na primeira oportunidade, dormiu com um maldito caído. Um cara que você nem conhece direito.

— Donovan, o que há com você afinal? Está falando como se eu fosse uma aventureira. Você sabe que não foi assim.

— Sei? Ora! Faça-me o favor! Ele nem é da nossa raça e você não é nenhum exemplo de bom comportamento, para chegar aqui me dando lição de moral, *Princesa*!

Enfatizei a última palavra com uma dose extra de sarcasmo e teria continuado, mas não houve tempo.

— Odeio você Donovan!

Um sonoro estalar se fez ouvir e senti a mão de Carlie em meu rosto. Um tapa. Carlie acertou em cheio o lado esquerdo de meu rosto e saiu com expressão de choro.

Raiva foi o que me consumiu. Apertei o copo com tanta força que ele se partiu, derramando o uísque e parte do vidro em minha roupa.

Aquilo foi muito inesperado. Imediatamente, a incredulidade deu lugar ao desejo de levantar e ir atrás dela, puxá-la pelo braço e dar um beijo que ela jamais esqueceria. Um beijo que a faria pensar por muito tempo. Um beijo que iria matar toda minha vontade de tê-la para mim.

Então, ela se sentia ousada ao ponto de me dar um tapa em público e ainda achava que podia sair assim, ilesa da situação?

Em outro momento eu até poderia achar graça daquela reação infantil, mas nas atuais circunstancias tomado pelo álcool, ainda sentindo a pressão dos dedos dela em meu rosto, e observando-a caminhar em direção à porta com tanta segurança, minha mente foi dominada por um desejo quase incontrolável.

A quem eu estava enganando? Um beijo não seria suficiente para apagar o que eu sentia naquele momento. Queria levá-la para cima e fazer amor com ela, até que não existisse nenhum vestígio daquele maldito anjo que se meteu entre nós. Até ela entender de uma vez por todas que era minha.

— Não faça isso. Você sabe que vai se arrepender e não terá retorno.

A voz de Lilly me trouxe de volta a realidade. Desviei o olhar e vi que ela segurava meu braço.

— Sei que parece uma boa ideia e tenho certeza que qualquer mulher ficaria lisonjeada, mas você sabe que não será assim. O que toma conta dela nesse momento é a raiva. Por mais que ela goste de você, o efeito será desastroso. Ela vai sentir mais raiva ainda pela sua ousadia.

— Minha intenção é tão óbvia assim?

— Do jeito que a está devorando com o olhar? Seus impulsos estão mais cristalinos que água, querido.

— Odeio admitir, mas você está certa. Preciso me controlar.

Peguei o copo da mão de Lilly e virei de um só gole.

Provavelmente minha mão ardeu mais que seu rosto, mas a dor que senti após o tapa que dei em Donovan, só serviu para aumentar ainda mais minha raiva.

Dei as costas para a mesa, prometendo a mim mesma que nunca voltaria a pôr os pés naquele antro, nem em nenhum outro lugar por causa dele. Como ele tinha coragem de me tratar daquele jeito? E ainda por cima na frente daquela mulherzinha vulgar.

Atravessei a porta pisando firme, sem esperar sequer que o porteiro a abrisse para minha passagem, e quando Johnatan finalmente me alcançou eu já estava entrando em um taxi.

— Carlie! Espere.

— Desculpe John, mas preciso ficar sozinha pelo resto da noite. Eu te ligo amanhã.

— Tudo bem, amor. Tente descansar e esqueça o que aconteceu aqui hoje. Não vale a pena se desgastar por causa dele.

— Eu sei anjo — dei um beijo rápido em John, antes que o motorista arrancasse com o carro e voltei para o apartamento, de onde nem deveria ter saído. Uma lágrima teimosa ameaçou rolar, mas enxuguei os olhos antes que ela tivesse chance de cair.

— Acho melhor você se recompor rapidinho. Parece que seus problemas estão longe de terminar.

Segui a direção dos olhos de Lilly e vi Johnatan Fallen no momento em que cruzava a porta, de volta ao interior do clube. Vinha diretamente em minha direção e pela sua cara pude imaginar como terminaria minha noite.

— Hunter!

— Ah, que ótimo! Agora o anjo moralista chegou. Veio defender a namoradinha ou só está querendo um pouco de confusão para agitar a noite?

— Você tem ideia do que fez com ela? Interrompemos nosso plano de viagem antes do tempo porque ela pensou que você estava em perigo e você a humilha, e se comporta como um verdadeiro idiota.

— Você não sabe do que está falando. Pensa que me conhece porque lutou ao meu lado em uma batalha, mas não tem ideia do que sou capaz.

— Eu faço ideia sim. Você é um vampiro egocêntrico e arrogante, que só consegue pensar em si mesmo e é capaz de qualquer coisa para se satisfazer, até magoar a única pessoa que te ama.

— Rapazes, não se exaltem. Estamos em um ambiente público. Vocês vão assustar os clientes.

— É melhor você não se envolver nisso, Lilly.

— Tudo bem. Vou deixar vocês conversarem com privacidade, mas controlem-se. Se destruírem meu clube os dois vão pagar pelo prejuízo.

— Pra começar, você nem devia trazê-la até aqui.

— Diferente de você, Hunter, eu não a mantenho sob meu controle. Ela é livre para ir onde quiser e fazer o que tiver vontade.

— Ah, claro! Como pude esquecer. Você é só um caído. Provavelmente é ela quem controla você.

— Sou um caído e ainda assim, sou uma opção bem melhor do que você.

— Acha que não sou bom para ela? Vamos ver se ela vai pensar o mesmo quando conhecer minha cama?

Bastou que eu terminasse a frase para sentir um soco no rosto, exatamente no mesmo lugar em que recebi o tapa de Carlie.

O golpe inesperado me fez voar por cima da mesa. Foi o bastante para tumultuar o clube e chamar a atenção dos curiosos. Mas percebi que ele havia se controlado, pois não me lançou muito longe. Levantei-me e limpei o sangue que escorria no canto da boca.

— Controlando a força?

— Pode ter certeza que o próximo não será assim. Quero que você vá atrás dela e peça desculpas.

— Claro! E depois, quem sabe eu seja padrinho de casamento dos dois.

— Pare com o sarcasmo, Donovan! Vou te avisar pela última vez. Não brinque com Carlie.

— Fomos apenas eu e ela por décadas, antes de você chegar e atrapalhar tudo. Então, talvez eu prefira matar você e tê-la de volta.

Saltei em direção a Johnatan com sede de sangue. Não estava disposto a matá-lo de verdade, mas queria dar-lhe uma surra até aplacar minha ira.

Tentei acertá-lo no rosto e devolver o soco, mas ele percebeu minha intenção e se defendeu. Então, dei um chute em sua costela e ele foi arremessado longe, o corpo arrastando no chão entre as pessoas do clube, até a parede do outro lado.

Um sorriso de satisfação brotou em meus lábios, ao imaginar a dor que ele devia estar sentindo, mas não durou muito. Johnatan reapareceu na minha frente com uma das barras que as dançarinas usavam para fazer pole dance e me acertou na cabeça.

Já estava farto daquele cara. Preparei-me para revidar, determinado a ensinar a ele uma lição, e teria feito, se não fosse a intervenção de Lilly.

— Chega! — ela gritou — Vocês estão loucos.

— Lilly, isso é entre nós.

— Nada disso. Vocês estão agindo como dois adolescentes, brigando por causa de uma garota que nem está mais aqui. Estão destruindo o bar e se continuarem vão destruir todo o clube. Querem acabar com meu negócio?

Odiava ter que admitir, mas sempre que Lilly abria a boca ela estava certa. Lutei ao lado de Johnatan e conheço a real extensão de seu poder. Provavelmente, ficaríamos horas brigando e no fim, seríamos vencidos pelo cansaço. Com sorte, mataríamos um ao outro.

— Você, vá embora! — Lilly apontou para Johnatan — Não é uma boa ideia continuar aqui. Vá atrás da garota! E você Donovan, chega de loucura por hoje — e virando-se para os curiosos que observavam a briga, ela declarou — Tá legal pessoal, o show acabou. Uma rodada de bebida por conta da casa para todo mundo.

Depois de ter certeza que já não éramos mais o centro das atenções, Lilly me deu uma boa olhada, analisando meu estado.

— Acho melhor você voltar lá pra cima e se acalmar. Vou mandar as meninas pra te fazerem companhia.

— Não! Mande apenas a ruiva. Só ela, acompanhada de uma boa garrafa de uísque.

Estava consumido pela ira e não pude descontar toda minha frustração em Johnatan Fallen. Precisava focar a raiva em outra coisa.

Eram três da manhã quando a ruiva adentrou a suíte com seu olhar misterioso e sedutor, trazendo a garrafa em uma das mãos e um óleo de massagem na outra, mas eu não estava com disposição para aquilo. Precisava me livrar do demônio que me consumia.

Puxei-a pelo braço e a joguei na cama beijando-a, enquanto impacientemente rasgava sua roupa. Natali era seu nome. Senti sua excitação e cada arrepio que percorreu seu corpo, já totalmente entregue, apenas a vontade de sexo e nada mais.

Por um segundo, me detive observando sua beleza. Seus cabelos de fogo espalhados pelo travesseiro, tal qual uma deusa. O corpo suado, quente, cheio de desejo que eu podia saciar. A possuí com vontade, fazendo-a pedir mais e mais, até que tombamos exaustos.

Antes que o dia amanhecesse deixei a garota dormindo, me despedi de Lilly e voltei para meu apartamento, imaginando que Carlie provavelmente estaria dormindo na casa de Johnatan.

A porta do elevador se abriu e caminhei pelo corredor. Àquela altura, o efeito do álcool já havia passado, o que significava que precisaria de mais uísque se quisesse calar aquela voz de consciência que começava a surgir lá no fundo, insistindo em me dizer que peguei muito pesado com Carlie.

Como pude ser tão estúpido? Provavelmente ela estaria me odiando. Mas a culpa nunca foi minha emoção favorita, então tratei de empurrá-la para bem longe.

Ao me aproximar do apartamento uma fragrância familiar me tomou de assalto. Era o perfume dela, não havia dúvida, e pela intensidade com que me atingiu ela estava presente. Não tinha se refugiado na casa do anjo como imaginei, mas estava bem ali, do outro lado da porta à minha frente.

Por um momento fiquei parado no meio do corredor, entre as duas portas, sem saber exatamente o que queria fazer. Até que cedi ao impulso e ao invés de abrir minha porta, entrei no apartamento de Carlie.

Ela estava deitada no sofá. O corpo encolhido como uma menina. Ainda usava as mesmas roupas com que apareceu no clube, com exceção do sapato, que estava jogado displicentemente sobre o tapete, no meio da sala.

Em silêncio me aproximei, tentando pensar em alguma coisa que fizesse sentido para dizer, depois de tudo que aconteceu naquela noite. Mas ela estava dormindo e pelas marcas na almofada, havia chorado.

Peguei-a no colo e instintivamente ela enlaçou meu pescoço. Afundou o rosto em meu peito. Um gesto automático, tantas vezes repetido. Um gemido baixinho foi o único som que emitiu, antes de voltar ao sono profundo, aninhada em meus braços.

Levei-a até o quarto, depositando-a na cama e puxei o edredom para cobri-la. Não sei por quanto tempo permaneci sentado na cadeira que ela mantinha próxima a cama, observando-a dormir.

Acordei no quarto, no meio da manhã. Com exceção da sede, que agora era intensa, me sentia bem melhor. Enquanto caminhava até a cozinha, relembrei os fatos da noite passada. A discussão com Donovan e seu horrível desfecho.

Deparei-me com uma caixa térmica sobre a bancada da pia. O símbolo da Casa Paraíso não deixava dúvida sobre o que continha em seu interior. Um curto bilhete foi o suficiente para revelar que a caixa havia sido deixada pela mesma pessoa que me colocou na cama.

"Seu refrigerador está vazio. Acredito que vai precisar disso."

DH

Olho para o céu e me pergunto: onde está a chama que ardia em meu interior e que me conduzia pelos caminhos do desconhecido? Já não a sinto queimar, como se esgotasse o tempo de sua existência.

Capítulo 6
O início do fim

Depois da briga com Donovan no Clube Midnight, peguei o carro e fui para casa, analisando a situação. Algumas coisas estavam me incomodando. Nossa volta repentina ao Brasil, interrompendo a viagem antes do previsto era uma delas, mas não era a única. Não bastasse o acidente de Carlie na estação de esqui e agora isso.

Eu havia imaginado algumas opções para as visões que Carlie teve com Donovan. Algumas bem ruins e outras nem tanto, mas chegar aqui e encontrá-lo naquele estado não era nem de longe uma das possibilidades que supus. Aquilo me deixou ainda mais incomodado. Não por ele estar naquela situação, mas pelo fato de Carlie se importar tanto com ele.

Ao chegar em casa ainda estava bastante estressado. Tudo o que eu queria era descansar a cabeça e quem sabe dormir, mas havia um problema: Claire.

Com o tumulto e a briga com Donovan esqueci de que ela ainda estava hospedada em minha casa.

Como de costume, entrei e comecei a tirar a camisa, ainda andando pelo corredor que levava ao quarto. Pretendia ir direto para o banho e em seguida cair na cama.

Estranhamente, ouvi um barulho que vinha do banheiro e sem pensar, segui em frente para ver o que estava acontecendo. Encontrei a porta entreaberta, o suficiente para permitir uma boa visão do interior e tive uma grande surpresa.

Claire estava no banheiro do meu quarto, saindo do banho. O corpo ainda molhado, buscando uma toalha para se enxugar. Paralisei ao vê-la. Havia esquecido como sua beleza era rara e ela continuava linda como sempre, talvez até mais. Parecia não ter notado minha presença, pois seguiu secando o corpo vagarosamente, sem se preocupar.

Os longos cabelos louros que deslizavam até o meio das costas, deixavam escapar pequenas gotas que escorriam até a fina cintura, que tantas vezes envolvi em minhas mãos. A pele branca e macia, o quadril arredondado, as pernas bem torneadas.

Fiquei parado observando-a sem conseguir me mover e como se não bastasse ela se virou, revelando os imensos olhos azuis e brilhantes, a boca pequena e desenhada, e os seios de um tamanho que se adequava perfeitamente a minhas mãos.

Por um instante voltei ao passado. Minha cabeça estava em outro lugar e senti o coração aumentar os batimentos, enquanto a observa. Muitas coisas passaram por minha mente, mas era inevitável vê-la vestindo a lingerie e não imaginar que eu poderia entrar naquele exato momento.

Lembrei-me de quantas vezes eu já a tinha surpreendido assim e tirado sua roupa, antes de fazê-la se entregar a mim.

Olhei em volta, tentando afastar aquelas lembranças e vi a foto de Carlie na cabeceira da cama. A culpa me invadiu em cheio e percebi o erro que estava prestes a cometer. Tentei voltar sem chamar atenção, mas estava tão confuso que ao me virar, esbarrei na pequena mesa próxima a porta e o jarro balançou. Quase o derrubei e no esforço para não deixá-lo cair, acabei por fazer um barulho que denunciou minha presença.

— John, é você?

Não podia deixá-la perceber que a estive observando. Distanciei-me o máximo que pude e respondi alto.

— Sou eu! Claire me desculpe. Tinha esquecido que estava aqui. Tive que resolver uns problemas e acabei me atrapalhando um pouco.

— Tudo bem! Eu que peço desculpas por invadir seu quarto — ela respondeu, saindo do banheiro — Mas você não estava e seu banheiro tem um chuveiro bem melhor que o do meu quarto. Ah! Eu me esqueci de trazer a toalha e acabei usando a sua, tudo bem?

— Sem problemas — respondi, aliviado por ela não ter se dado conta da minha presença antes.

O episódio no quarto serviu para mostrar que seria difícil conviver com Claire em minha casa por muito tempo. Por sorte, ela decidiu sumir misteriosamente pelo resto da noite, dando a chance que eu precisava para esfriar a cabeça.

Tomei um banho e segui para a cama, sentindo-me insatisfeito com os acontecimentos daquele dia. Apesar da intervenção de Lilly no Clube ter sido providencial, eu ainda tinha umas coisas para acertar com Donovan.

Quando Carlie me contou sobre os chamados durante a viagem, peguei o número de Donovan no celular dela, imaginando que poderia precisar um dia e parece que esse dia havia chegado.

Há essa hora ele devia estar no clube ou talvez já estivesse em casa, o que seria ainda melhor. Decidido, peguei o telefone e fiz a chamada.

— Hunter falando.

— Donovan!

— Não me lembro de ter dado meu número pra você — Donovan respondeu, sarcástico como sempre — então, suponho que pegou com sua namoradinha e como não somos bons amigos, estou me perguntando o que você pode querer comigo.

— Cale a boca e me escute! Hoje, em frente ao MASP. Me encontre lá às onze horas sem falta. Precisamos acertas nossas contas.

— Sinceramente, não estou com a mínima vontade de ver sua cara de novo, a não ser que seja para terminar o que começamos no clube.

— Até mais tarde, Hunter.

Desliguei sem dar chance dele responder. Não estava com a mínima paciência para os joguinhos de Donovan. Tinha certeza que ele ficaria estressado, mas não estava preocupado com suas ameaças. Não era minha intenção brigar novamente, mas precisava esclarecer alguns fatos que estavam me incomodando.

Após algumas horas de sono, peguei o carro e rumei para o museu ao encontro de Donovan. Estacionei a certa distância e de longe pude avistar que ele já havia chegado. Desci do carro e fui em sua direção.

— Donovan!

— E então, porque marcou em um lugar tão movimentado?

— Exatamente para ter que me controlar e não arrebentar você.

— É só não me provocar, Johnatan Fallen. Do contrário, nem mesmo essas pessoas serão motivo para me conter.

— O que você pensou que estava fazendo ontem?

— Se está falando da discussão com Carlie, isso é um problema entre ela e eu. Nossa relação é muito antiga e você chegou agora. Não deveria se intrometer.

— Acontece que fui eu que tive que socorrê-la quando você a pôs em perigo. Acho que isso me dá algum direito.

— Do que está falando?

— Então você não sabe? Claro que não. Não deu nem tempo a ela para contar, não é mesmo?

— Contar o que? Se tem alguma coisa para me dizer, fale logo.

— Carlie sofreu um acidente grave quando estávamos esquiando e poderia ter problemas bem sérios se eu não estivesse lá, e tudo por sua culpa. Onde estava com a cabeça, convocando-a daquele jeito só para satisfazer seu ego?

— Como é que é?

A notícia do acidente caiu sobre Donovan como uma afronta. Imediatamente ele fechou os punhos, como se estivesse determinado a me atacar, mas não recuei.

— É isso mesmo que você ouviu. Por sua causa ela perdeu o controle e caiu, fraturando a perna. Tive que atrair um humano para que ela pudesse se alimentar e se recuperar, antes que alguém chamasse a equipe de socorro para resgatá-la.

Pela primeira vez vi Donovan realmente assustado. Sua fúria evaporou completamente ao perceber que Carlie quase foi exposta por sua imprudência, mas a reação dele durou pouco.

— Então, foi isso. Por isso perdi o contato. Não imaginei que algo assim poderia acontecer. Não depois que...

— Depois de quê?

Um sorriso malévolo surgiu no rosto de Donovan, demonstrando que já tinha superado a surpresa pela tragédia que quase causou.

— Vai me responder ou vai ficar rindo sozinho?

— Então, ela não te contou. Ao que parece vocês tem segredos um para o outro. Eu não diria que isso é bom em uma relação, não concorda?

— Mas afinal, do que você está falando agora?

— Conhecendo-a como conheço, diria que ela tentou ser sincera com você e deve ter mencionado que eu a chamei várias vezes enquanto vocês viajavam.

— Ela comentou sim e sinceramente, não gostei nem um pouco de saber que a estava convocando apenas porque você é um sádico que não sabe perder.

— Mas o que ela não deve ter contado — Donovan prosseguiu ignorando propositalmente meu último insulto —, é que em uma dessas vezes ela estava no banho. Estava totalmente nua, linda e inteiramente ao meu alcance, praticamente ao meu lado. Sabe como funciona uma convocação? Ah! Claro que não. Às vezes esqueço que você é só um caído.

— O que está dizendo?

— Isso mesmo que você ouviu, Johnatan Fallen. Tive o privilégio de vê-la no banho e ela sabia que eu estava lá. Quase pude tocá-la.

Não podia aceitar aquilo que Donovan havia falado. Como Carlie pôde esconder tal segredo de mim? Ela não poderia ter feito isso comigo.

Para evitar perder a cabeça de vez e dar uma surra em Donovan, saí de perto dele e entrei no carro. Precisava voltar para casa, pensar em tudo que ouvi e tentar entender porque Carlie não me contou esse detalhe. O que mais ela estaria ocultando?

Depois de me alimentar com a remessa deixada por Donovan e acondicionar o restante no refrigerador, fiz uma chamada para Johnatan. Já passava das onze da manhã e àquela hora ele já teria acordado. Tentei duas vezes, deixando o telefone soar até cair a ligação e nada. Provavelmente ele ainda estava dormindo.

Decidi que após aquela demonstração de boa vontade, já era hora de ter uma conversa franca com Donovan. Apesar do que aconteceu na noite anterior, ele ainda era minha única família e não queria perdê-lo de novo. Antes, porém, precisava de um banho e de roupas limpas. Havia dormido com as roupas da noite anterior e já estava incomodada.

Após meia hora na banheira me senti renovada. Vesti um jeans e uma camiseta e fui até o apartamento de Donovan, na esperança de encontrá-lo com um humor melhor do que na noite passada, mas outra vez vi minha tentativa frustrada.

Parecia que tudo estava contra mim naquela manhã ou eu é que estava muito ansiosa. Não conseguia me comunicar com John, Donovan não estava em casa. Então, me resignei e voltei para o apartamento para desfazer as malas que continuavam no meio da sala.

Eram duas horas da tarde quando mais uma vez liguei para Johnatan e novamente ele não atendeu. Aquilo não era normal. Àquela hora, com certeza, ele já estava acordado. Então, porque não atendia minhas chamadas?

Lembrei-me de Claire e de que ele havia falado que pretendia se inteirar sobre a tal missão dela. Provavelmente estaria envolvido com isso e retornaria a ligação assim que pudesse.

Decidida a não ficar pensando em Johnatan na companhia da loura, guardei as malas já vazias no closet e voltei ao apartamento de Donovan.

Duas batidas leves na porta e ele abriu. Fiquei imóvel por alguns segundos, sem saber exatamente o que dizer.

— Vai ficar aí parada ou vai entrar? — ele falou, dando as costas para a porta aberta e caminhando para o interior da sala.

Entrei, ainda sem dizer nada e observei que dessa vez o apartamento não estava tão desorganizado quanto na noite anterior.

É verdade que ainda não tinha a mesma aparência de antes, quando parecia saído de uma revista de decoração, mas ao menos ele se livrou de todas aquelas garrafas vazias, copos e roupas sujas que estavam espalhadas por toda parte.

— E então, princesa?

— Don! Precisamos conversar.

— Precisamos é?

— Você sabe que sim.

Esperei por alguma resposta, mas ele não parecia disposto a facilitar as coisas, então insisti.

— Obrigada pela remessa que mandou essa manhã. Estava mesmo precisando.

— Não tem que agradecer. Aquilo não foi nada.

— Você estava com raiva e mesmo assim me alimentou, então acho que devo agradecer.

Ele meneou a cabeça.

— Por que não me acordou?

— Não estava em condições de conversar com você, Carlie. Íamos acabar discutindo de novo, ou coisa pior, e não quero isso entre nós.

— Também detesto quando brigamos.

Donovan me olhou com afeto, era a chance que eu precisava para entrar no assunto que realmente importava.

— Você partiu sem se despedir. Não sabe como me senti ao ler aquele bilhete no hotel. Fiquei muito magoada com sua atitude.

— Precisava me afastar por um tempo.

— Agora eu sei. Mas a verdade é que senti muito a sua falta. Todos esses meses sem ao menos uma notícia.

— Vem cá!

Enquanto falava, me puxou, enlaçando minha cintura e de repente, o antigo Donovan Hunter estava de volta. Carinhoso e atencioso como antes.

— Te devo desculpas.

Estávamos de pé, abraçados no meio da sala. Os dedos dele brincando com uma mecha do meu cabelo.

Imaginei que estava se referindo à discussão que tivemos no clube. Sabia o quanto aquelas poucas palavras eram difíceis para ele e preferi não perguntar mais nada. Não fazia ideia de que ele tinha se encontrado com Johnatan, nem que sabia sobre o acidente.

— Também senti sua falta, princesa. Mais do que gostaria de admitir.

Donovan soltou o abraço e deixei que me conduzisse até o sofá.

— Que tal uma taça de vinho para comemorar a sua volta, enquanto continuamos essa conversa?

— Só se você prometer que não vai mais se afastar de mim como fez em Nova Orleans.

— Está fazendo chantagem comigo?

— Eu diria que está mais para um acordo — respondi sorrindo.

— Ok! Feito. Aqui está, mademoiselle — ele brincou, me estendendo uma taça de vinho tinto e fazendo um brinde.

— Você me deixou muito preocupada com aqueles chamados. Pensei realmente que estava com algum problema.

— E estava. Não viu?

— Estou falando sério, Don. Podia ter me ligado ou respondido minhas mensagens.

— Estou começando a achar que você vai me dar um sermão — ele falou erguendo as mãos, num gesto que simulava rendição — Lamento dizer que terá que ficar para outra hora. Por mais que eu queira ficar aqui e ouvir tudo que você tem a dizer, tenho um compromisso marcado para essa noite e ainda preciso resolver algumas coisas. Sabe como é. Os negócios, assim como as mulheres, não esperam.

Ri da comparação.

Ali estava ele. O meu querido Donovan e suas brincadeiras que sempre quebravam o clima quando as coisas ficavam tensas.

— Por que será que tenho a impressão de que, nesse caso, *negócios e mulheres* são uma coisa só?

— Porque talvez sejam.

— Donovan Hunter! Está me dispensando porque sabe que tenho razão e quer fugir dessa conversa.

— Eu jamais te dispensaria, mas você também não devia ir se encontrar com o seu namorado?

— Tudo bem! Você conseguiu escapar por hoje, mas vamos voltar a esse assunto.

— Vamos?

— Você me conhece. Sabe que não vou desistir assim tão fácil.

Terminamos o vinho e voltei para meu apartamento.

De certa forma, me sentia aliviada e feliz por tê-lo de volta em minha vida. Agora só faltava encontrar Johnatan e ter uma noite perfeita a seu lado.

Porque quando uma mulher entrega seu coração, gosta de saber que é única, na mente e na vida de seu homem.

Capítulo 7
A traição

Apesar de minhas inúmeras tentativas de falar com John, ele seguiu sem atender minhas chamadas e por fim, o telefone estava desligado, com certeza sem bateria. A noite perfeita que eu havia planejado para nós teve que esperar.

Donovan havia saído como disse que faria e fiquei sozinha no apartamento, imaginando o que teria acontecido para Johnatan sumir sem dar notícias por todo o dia.

Não estava com disposição para sair sem a companhia dele. Então, optei por uma boa leitura, até que me entreguei ao sono e quando despertei o sol ainda não tinha nascido.

Era muito cedo e provavelmente John estaria dormindo. Melhor! Assim eu poderia fazer uma surpresa. Despertá-lo com beijos. Quem sabe até passar algum tempo juntos.

Estacionei na frente da casa e entrei. A sala estava vazia. Segui pelo corredor em direção ao seu quarto, mas parei ao ouvir as vozes que vinham do interior. Vozes dele e de Claire. O que ela estaria fazendo ali àquela hora da manhã?

Tentando manter o controle, me aproximei e percebi que a porta estava entreaberta. Empurrei a maçaneta, com intenção de me anunciar antes de entrar, mas a cena que presenciei lá dentro me deteve.

John estava de pé ao lado da cama, como se tivesse acabado de se levantar e Claire completamente nua, enlaçada em seu pescoço beijando-o.

Senti meu coração parar e não esperei para ver o restante da cena. Estava bem claro o que tinha acontecido antes de eu chegar e que este era o motivo dele não retornar minhas chamadas.

Dei meia volta, contendo as lágrimas e entrei no carro, dando a partida. No caminho de volta, liguei para o celular de Johnatan, sentindo a raiva e o desespero crescerem dentro mim, mas o aparelho continuava desligado, caindo direto na caixa postal. Gravei um recado deixando bem claro o que tinha visto e que ele não deveria mais me procurar.

Dirigi como uma louca pelas ruas da cidade, que àquela hora da manhã tinham um movimento intenso e quando finalmente entrei na garagem do prédio, estava totalmente tomada pela dor.

Tentei segurar o choro, mas foi impossível e quando a porta do elevador se abriu as lágrimas já rolavam descontroladas por meu rosto.

Caminhei pelo corredor, sentindo que iria desabar a qualquer momento. Passei pela porta do meu apartamento e sem pensar, entrei no apartamento de Donovan. Cruzei o hall e me detive constrangida com a cena que presenciei.

Donovan estava sentado no sofá à minha frente, sem camisa, descalço, usando apenas um jeans desabotoado e com as presas cravadas no pescoço de uma loura que estava deitada sobre suas pernas, vestindo uma minúscula lingerie, enquanto outra estava sentada no tapete a seus pés.

Aquilo era demais, até para mim. Senti-me enjoada e imediatamente me dei conta do erro que cometi. Já estava dando meia volta para sair, mas ele se levantou, livrando-se da mulher que estava em seu colo.

— Espere aí Carlie! O que aconteceu pra você entrar aqui nesse estado?

Não respondi. Não conseguia articular uma única palavra. Tinha a sensação de que, se abrisse a boca, ia romper num choro desesperado que não terminaria tão cedo. Mas ninguém me conhecia tão bem nesse mundo quanto Donovan.

— Vocês, esperem aqui.

Don me pegou pela mão e deixei que me conduzisse até o quarto. Joguei-me sobre a cama, enfiando o rosto em um dos travesseiros e dei vazão a dor que me sufocava. Chorei como uma criança na frente dele, que me olhou aturdido antes de voltar para a sala.

Do quarto pude ouvir quando ele dispensou as mulheres e me senti um pouco pior por isso. Sabia que eu tinha acabado com a farra dele ou talvez fosse melhor assim, ao menos para elas.

— Sinto muito meninas, mas a festa acabou. Sejam boazinhas, vistam-se e vão para casa.

Quando voltou ao quarto, Donovan se sentou ao meu lado na cama e puxou minha cabeça até seu peito.

— Agora vamos lá, princesa. Conte tudo.

Mas eu não queria falar, só queria chorar. Afundei minha cabeça no peito de Donovan, o corpo encolhido como um bebê.

— Shi! Calma! Nunca vi você assim desde...

— Desde a morte de meus pais. Eu sei.

— Olha só, se você quiser ficar aqui apenas chorando, tudo bem. Apesar de não ser minha forma preferida de ficar na cama com uma mulher, posso suportar. Mas se você não contar o que aconteceu vai ficar difícil te ajudar.

— Ele estava com ela. Eu vi. Eles estavam no quarto, nus, se beijando.

— Ela quem?

— A loura. Você a conheceu no Castelo do Anjo. Ela voltou e está lá na casa dele.

Pensei que Donovan ia esbravejar e começar a desfiar um monte de palavrões e insultos a respeito de Johnatan, mas nada disso aconteceu.

— Eu já esperava por isso, até que demorou mais do que previ. Deve estar doendo muito. Acredite, eu sei como é.

— Don eu...

— Não precisa falar nada. Sempre achei que ele era um idiota, agora tenho certeza. Mas vou cuidar de você, princesa. Ele não vai mais te machucar.

Enquanto falava, Donovan mantinha minha cabeça aninhada em seu peito, acariciando suavemente meus cabelos e eu me deixei ficar assim por um bom tempo.

— Eu realmente acreditei que ele era a pessoa certa e agora isso... Nem sei explicar o que estou sentindo. Decepção, dor, frustração... mas o pior é a raiva. Don, eu estou com tanta raiva. Quero matá-la — declarei, e não estava falando no sentido figurado.

— Ei! Vai com calma aí, princesa! Você precisa desligar ou isso vai te consumir por dentro até você pirar, e não vou deixar você perder o controle.

— Você sabe muito bem que nunca concordei com isso. Para mim as coisas tem que ser de verdade.

— Você tem seu estilo de vida e eu respeito isso. Confesso que, às vezes, até admiro sua força de vontade em certas coisas. Mas agora é uma questão de necessidade, princesa.

— Já faz tanto tempo. Acho que nem sei mais fazer isso.

— Claro que sabe. Está dentro de você, assim como em todos nós. É só deixar fluir.

No fundo eu sabia que ele tinha razão, mas não queria me tornar uma criatura fria. As emoções e os sentimentos eram a única coisa que eu ainda tinha para me agarrar a minha parte humana. Mas naquele momento, os argumentos de Donovan me pareciam bem coerentes.

— Carlie, você não precisa ser como eu. Acredite, mesmo que quisesse você não conseguiria. Você é especial, faz parte da sua natureza e isso não vai mudar, só vai fazer com que doa menos. Você não estava pronta para isso e em parte é minha culpa. Nunca permiti que ninguém chegasse tão perto.

— Não Don! Não é sua culpa. Você tentou evitar, mas eu estava tão apaixonada.

— E não está mais?

A pergunta me pegou de surpresa e as lágrimas que já estavam parando, voltaram a rolar com toda força.

— Eu ainda o amo e é isso que dói mais.

— Minha princesa! Tem que entender que não poderia dar certo. Ele não é um de nós, não tem os mesmos valores, não compartilha de nossa tradição e você é muito especial. É preciso alguém que saiba como é ser o que somos. Alguém que sinta o que sentimos, que viva como vivemos, para poder valorizar as qualidades raras que existem em você. Sejam caídos ou humanos, eles apenas têm um pequeno vislumbre do que é ser um vampiro, mas não podem compreender suas emoções ou suas necessidades. Seria tão mais fácil se você aceitasse seu destino.

Ouvi as palavras de Donovan calada, enquanto seus dedos deslizavam pelo meu rosto pegando as lágrimas que teimavam em rolar.

Donovan sempre tentou me fazer entender a importância de proteger nossa identidade e sempre dizia que a melhor maneira de fazer isso era nunca se envolver com alguém que não fosse igual a nós. Eu achava que ele estava errado. O mundo tinha evoluído e nem todos pensavam mais como ele. Mas pela primeira vez aquilo parecia fazer algum sentido para mim.

Nos últimos meses eu tinha realmente vivido. Passei por muitas experiências que não tive em quase um século de existência, e agora, pesando os últimos acontecimentos da minha vida, tinha que admitir que as palavras de Donovan carregavam uma boa dose de verdade.

— Você está tremendo. Quando foi a última vez que se alimentou?

— Não sei. Ontem pela manhã, antes de vir conversar com você, eu acho.

— Precisa se alimentar ou isso tudo vai parecer bem pior do que já está. Eu não tenho nada do que você gosta aqui, mas com certeza ainda tem bastante daquele sangue gelado na sua cozinha.

— Não Don, por favor. Não me deixe aqui! Eu sei que acabei com a sua diversão, mas não quero ficar sozinha.

— Tá legal, calma. Não vou a lugar algum, mas precisamos fazer alguma coisa quanto a isso.

Antes que eu pudesse protestar, Donovan usou a garra de prata que ainda estava em seu dedo e fez um pequeno corte na mão.

— Don, eu não quero.

— Ah, você quer sim ou vai me fazer te obrigar a beber?

Eu sabia que não adiantava discutir com ele. Quando decidia alguma coisa ninguém era capaz de fazê-lo mudar de ideia. Então, me resignei e aceitei quando ele encostou a mão em meus lábios.

Com exceção dos primeiros dias após minha conversão, foram raras às vezes em que me alimentei através dele e já tinha esquecido como isso era prazeroso. Nunca entendi direito o motivo, mas era tão diferente de todo o resto...

Quando terminei já não havia mais lágrimas e me senti rejuvenescida como uma menina. Até consegui esboçar um meio sorriso.

— Não tenho o menor ânimo para passar o resto do dia sozinha naquele apartamento. Será que posso ficar aqui, só por hoje?

— Como nos velhos tempos na Dinamarca? Você sempre corria para o meu quarto quando alguma coisa te perturbava, lembra?

— Sabe que às vezes tenho saudade daquela casa? O lago, os jardins, o bosque. Era tudo tão lindo, tão diferente do que vivemos agora.

— Bem, aqui não temos o mesmo espaço, mas eu acho que posso dar um jeito.

Ficamos remexendo em nossas lembranças, até que finalmente me acalmei, o suficiente para tentar dormir.

— Será que você pode me abraçar até eu pegar no sono?

— Tá falando sério, princesa? Quer abraço de conchinha?

— Eu preciso.

— Pensei que essa fase já tinha passado.

Cheguei para o lado, dando espaço para ele deitar.

— Pronto. Estou aqui e nunca mais vou deixá-la sozinha. É uma promessa. Agora trate de fechar os olhos e não pense mais no que aconteceu.

Aconcheguei-me mais em seu abraço, me sentindo protegida e rapidamente adormeci, sem me dar conta de como era torturante para ele ficar assim tão próximo a mim e não me ter de verdade.

Não pude acreditar quando liguei o telefone pela manhã e ouvi o recado de Carlie.

Tinha deixado o aparelho desligado carregando durante a noite. Não havia retornado as chamadas dela porque ainda estava muito chateado com a revelação de Donovan e depois do episódio inesperado com Claire e da longa conversa que tivemos a seguir, voltei para o quarto na tentativa de ter um pouco de privacidade e esqueci completamente do celular.

Assim que terminei de ouvir o recado peguei a chave do carro e saí em direção ao edifício de Carlie. Precisava explicar que aquilo foi um mal entendido. Aquele beijo não significava nada para mim.

Estacionei em frente ao prédio, passei pela portaria e fui direto para o balcão, onde o recepcionista me recebeu com um olhar preocupado. Provavelmente se lembrava de que a última vez que me viu atravessar o hall, eu e Donovan terminamos destruindo o corredor com uma briga.

Pedi para ele avisar a Carlie que eu estava subindo, mas ninguém atendia no apartamento, o que era estranho para àquela hora do dia.

— Lamento senhor, mas parece que ela não está.

— Não é possível. Tenho certeza que ela está em casa.

Claro que eu tinha certeza. Aquela altura eu já estava rastreando sua energia e sabia que ela estava no prédio. Devia estar com muita raiva, depois de ver Claire me beijar daquele jeito, e provavelmente não queria atender.

— Senhor Johnatan, não pode subir sem ser anunciado.

Ouvi o rapaz se queixar, mas eu já estava entrando no elevador e respondi antes que a porta se fechasse.

— Fique tranquilo, não vou quebrar nada, só preciso conversar com ela.

Enquanto caminhava pelo corredor, pensando em como convencer Carlie de que tudo não passou de uma tentativa patética de Claire para se aproximar de mim novamente, a porta do apartamento dela se abriu, mas foi Donovan quem saiu de lá.

— O que você pensa que está fazendo aqui?

— Eu preciso falar com ela e você não pode me impedir.

— Ela não quer falar com você. Aliás, você nem deveria ter subido. A segurança desse edifício está ficando cada vez mais descuidada. Preciso me lembrar de fazer uma reclamação formal.

— Não me venha com suas ironias, Donovan. Isso não vai funcionar — respondi, ignorando ele e passando pela porta ainda aberta.

— Carlie! Você precisa me ouvir.

— Ela não está aqui, idiota.

— Como assim, não está aqui? Eu sinto a presença dela.

Só então me dei conta do que Donovan tinha nas mãos. Entre os objetos de Carlie havia um vestido, sapatos, perfume e até roupas íntimas.

— Mas o que significa isso? Você agora invade o apartamento dela pra pegar roupa para as suas amigas também?

Donovan não respondeu. Contentou-se em me olhar com ar de quem estava se divertindo.

— Então, é isso. Ela está na sua casa.

— Mais precisamente na minha cama e se você me der licença, eu preciso voltar para lá. Ela está despertando e vai precisar dessas coisas.

Fiquei parado no corredor, enquanto observava Donovan entrar e fechar a porta do apartamento atrás de si.

Odiei-me por não ter coragem de ir atrás dele e comprovar suas palavras com meus próprios olhos. Mas a verdade é que eu não precisava ver para saber. Eu podia senti-la.

Ela estava lá, e isso foi o suficiente para o mundo começar a ruir ao meu redor.

Carlie certamente desaprovaria se soubesse, mas aquele caído idiota já tinha feito ela sofrer o suficiente e merecia provar um pouco de seu próprio veneno.

Assim, entrei no apartamento fechando a porta atrás de mim e deixando-o sozinho no corredor com suas suposições.

Sabia perfeitamente o que se passava na imaginação de Johnatan Fallen naquele momento e não fiz nada para corrigir o engano.

Deixei que ele interpretasse minhas palavras, até ser completamente consumido pelo ciúme.

Não vivo no céu, mas também não pertenço ao inferno. Sonhos já não os tenho, nem planos ou ilusões. Foram roubados pela serpente da traição. Olho para frente e o que vejo já não enche minha alma de alegria.

Capítulo 8
A proposta

Não podia acreditar no que estava acontecendo. Tentei imaginar onde e quando foi o momento exato em que Carlie começou a se envolver com Donovan.

Como? Depois de uma viagem tão perfeita e de tudo que fiz por ela. Porque ela simplesmente cedeu a ele? Aquilo não fazia sentido. Rodei por algumas horas sem destino, tentando me acalmar e pensar com lógica, mas por mais que tentasse, não encontrava uma explicação. Não podia ser só pela cena que ela presenciou em minha casa pela manhã. Tinha que haver outro motivo.

Cada vez que parava para pensar sentia mais raiva.

Transbordando de desespero, angustia e um enorme desejo de vingança. Foi nesse estado que voltei para casa, à noite.

Estacionei o carro sentindo a fúria me dominar por completo. Então era isso? Na primeira oportunidade ela simplesmente pulou da minha cama para a dele.

Segui pelo corredor e para meu azar, ao entrar no quarto, dei de cara com Claire novamente se trocando. Estava quase pronta e ao que tudo indicava, prestes a sair. Observei atentamente seu corpo e não me detive mais.

— Johnatan, você sumiu o dia todo. O que aconteceu?

Claire parecia interessada em saber o desfecho de minha conversa com Carlie, mas eu não estava com disposição para conversar, muito menos para ouvir o que ela teria a dizer.

De certa forma, ela era culpada por tudo aquilo. Se não tivesse passado tanto tempo tramando armadilhas de sedução para me envolver, Carlie e eu ainda estaríamos juntos.

Fechei a porta puxando-a pelo braço. Coloquei-a de costas para mim, o corpo contra a porta, o rosto suavemente pressionado à madeira e comecei a falar em seu ouvido:

— Estou com muita raiva, extremamente nervoso e preciso acabar com isso agora. E adivinha: você vai dividir isso comigo. Pensa que não notei? Ligando a todo momento, quando sabia que Carlie estava ao meu lado. Há tempos que vem me provocando. Se trocando na minha frente, usando meu banheiro, invadindo meu quarto.

Virei-a, segurando-a pelo rosto e a beijei. Não um beijo suave ou apaixonado, mas um beijo abrupto, duro, cheio de cobrança. Minha intenção era puni-la, mas aquilo era exatamente o que Claire desejava e não foi possível conter o que veio a seguir.

Num ímpeto, arranquei o vestido de seu corpo e comecei a acariciá-la. Seu rosto transparecia todo seu desejo, mordendo meus lábios, enquanto eu liberava minha raiva apertando seus braços e a aproximando ainda mais.

Tinha consciência de que naquele momento ela estava dentro da minha mente, lendo minhas emoções e fazia exatamente o que sabia que me provocaria. Embalado por From Wishes To Eternity, de Nightwish, que saía do aparelho de som ligado no quarto, abri mão de vez do pouco controle que ainda me restava.

Eu a conhecia o suficiente para saber que não precisava me segurar com Claire. Ela aguentaria tudo. Então, coloquei a mão sobre seu ombro fazendo-a se ajoelhar e abri o zíper. Claire parecia determinada a me ter de volta e não hesitou em obedecer, mas ainda assim não estava satisfeito. Puxei-a pelo cabelo, fazendo subir outra vez e a joguei na cama.

— Tire a lingerie! Se você quer mesmo isso vai suportar minha raiva e será a melhor noite da sua vida.

Prontamente ela se despiu e se recostou na cama. Os cabelos cor de ouro espalhados pelo travesseiro. Os brilhantes olhos azuis me encarando intensamente, sem vacilar. Cobri seu corpo com o meu, enroscando nossas pernas enquanto a beijava, sentindo-a se contorcer embaixo de mim num ritmo alucinado.

Era a mesma Claire do meu passado, como se o tempo que nos separou não tivesse existido. A mesma mágica incrível que a permitia saber exatamente o que eu precisava e como me satisfazer.

Horas depois, estávamos os dois saciados e exaustos. Já não sentia mais raiva, porém a amargura ainda estava presente. Levantei e caminhei até o banheiro.

— John, quer companhia no banho? — Claire perguntou com voz languida.

— Vista-se e vá para seu quarto. Preciso de um tempo só — e percebendo como fui rude, completei meio sem jeito — Me desculpe Claire, mas não quero companhia agora, na verdade prefiro dormir sozinho.

Abri os olhos e me deparei com Donovan sentado próximo à cama, me observando. Sobre a pequena mesa redonda de madeira escura, ao seu lado, havia uma bandeja de prata com uma taça pela metade do precioso líquido vermelho, além de um delicado prato com morangos e amoras e uma raríssima rosa negra.

— Estava esperando você despertar. Achei que ia precisar de um mimo e como sei que não se alimentou o suficiente, tomei a liberdade de pegar um pouco do estoque de seu freezer. Sabe como é. Não costumo manter sangue gelado em casa, prefiro o meu quente. Mas sei que você não é adepta, então tive que improvisar.

Retribui sorrindo, feliz por tê-lo ao meu lado naquele momento. Não queria nem pensar em como estaria agora se tivesse que passar por isso sem ele para me ajudar. Conhecia Donovan há tempo suficiente para saber que ele não faria isso por mais ninguém, o que tornava sua tentativa de me animar ainda mais especial.

— Don, ela é linda! — exclamei, tocando a rosa na bandeja — Onde a conseguiu?

— Se eu contasse teria que matá-la. Venha, aproveite o seu desjejum.

Peguei a rosa e passei as pétalas instintivamente pelo rosto enquanto bebia, sentindo a textura delicada e o aroma daquela flor tão rara.

Donovan se aproximou, sentando na beira da cama. Tirou a rosa das minhas mãos e rompeu o caule, colocando-a em meu cabelo.

— Pronto, assim fica melhor. Agora beba tudo como uma boa menina e depois, se quiser, pode usar meu banheiro. Eu trouxe algumas coisas que achei que iria precisar. Você tem coisas muito sexys, sabia? Foi divertido escolher.

— Donovan Hunter! Você mexeu na minha gaveta de lingeries?

Eu deveria ficar furiosa, mas era impossível com ele me olhando daquele jeito.

— Bom, era isso ou carregar você enrolada numa toalha pelo corredor depois do banho. Achei que você preferia a primeira opção.

Devo ter deixado transparecer meu constrangimento porque ele emendou.

— Relaxa princesa! Você não ia querer sair assim. Se não reparou, você dormiu com a mesma roupa que chegou aqui e eu não queria te acordar.

— Tudo bem! Eu devia agradecer por tudo que você fez por mim.

— Você sabe que sempre vai poder contar comigo.

— Eu sei — respondi automaticamente — Don, eu pensei muito sobre o que você disse. Sei que divergimos em algumas coisas e temos estilos de vida um tanto diferentes, mas talvez você tenha razão em alguns pontos.

— Eu também andei pensando sobre o que você falou e quem sabe seja uma boa ideia a gente dar um tempo de tudo isso aqui. Mudar de ares ia te fazer bem. Dei alguns telefonemas enquanto você dormia e adivinha só.

Donovan estava com aquele brilho nos olhos, de quem tinha acabado de conseguir uma façanha e eu sabia que tinha algo a ver comigo.

— Ai Don, fala logo! Odeio quando faz esse suspense. Só serve para aguçar minha curiosidade.

— A casa da Dinamarca ainda está lá, exatamente como era, ou quase. Mas o que importa é que eu a comprei de volta.

— O quê?! Como conseguiu comprar a casa tão rápido? Quer dizer... como convenceu os atuais proprietários a venderem, assim de repente?

— Bem, digamos que autorizei meu pessoal a usar um pouco de persuasão.

— Donovan! Você é tão impulsivo. Está vendo? É disso que eu estava falando. Não pode manipular todo mundo desse jeito, só para satisfazer seus caprichos. Além do mais, não sei se estou pronta para deixar São Paulo.

— Nesse caso, foi para satisfazer o seu capricho, princesa. Mas fique tranquila. Eles saíram no lucro. Até paguei mais do que ela valia realmente. Com o dinheiro que vão receber podem comprar uma casa bem mais luxuosa que aquela, em qualquer lugar que desejem.

— Você não aprende mesmo, não é? O que eu faço com você?

— Quer mesmo que eu responda?

— Acho que não. E antes que você diga mais alguma coisa, vou para o banho.

Peguei as coisas que ele trouxe do meu apartamento e entrei no luxuoso banheiro, decorado com cerâmica preta e metais dourados.

Enquanto a água corria, enchendo a banheira e espalhando vapor pelo ambiente, revisei o que ele tinha escolhido para mim.

Tinha que admitir que ele me conhecia muito bem e apesar do seu gosto um tanto extravagante, ele havia pensado em tudo.

Pendurei o vestido vermelho de tecido leve ao lado do espelho e separei alguns itens que estavam numa necessaire, tentando afastar da mente a imagem de Donovan revistando meu closet e meu banheiro atrás daqueles objetos.

Ele não tinha esquecido meu sabonete líquido preferido nem o perfume que eu costumava usar. Havia até um batom no fundo da pequena bolsa, além de outros itens de maquiagem. Mas o que me incomodava mesmo eram as lingeries.

Don escolheu um conjunto vermelho todo em renda. Um verdadeiro luxo, que adquiri em minha recente passagem pela França, na expectativa de usar em uma noite especial com Johnatan. Mas não tive oportunidade e depois do que aconteceu, certamente não voltaria a ter.

Tratei de afastar aquele pensamento me concentrando na banheira, que agora estava quase cheia. Entrei e deixei que a água morna e relaxante me envolvesse até cobrir os seios. Vagarosamente, comecei a passar o sabonete pelo corpo, pensando no que Donovan tinha revelado há pouco.

Por mais que eu tentasse ficar chateada com sua maneira de agir e sua completa falta de respeito pelos humanos, eu sabia que ele tinha feito aquilo motivado pelo desejo de me satisfazer.

De certa forma, a atitude de pagar mais do que a casa realmente valia era uma maneira de compensar a família, demonstrando alguma consideração por quem vivia em nosso antigo lar. A maneira Donovan Hunter de fazer as coisas é claro.

O certo era que ele tinha razão em um ponto. Uma mudança de ares era tudo que eu precisava agora para superar a decepção com o anjo e passar um tempo na nossa antiga casa seria muito agradável.

Quando saí do banheiro ele não estava mais no quarto. Calcei a sandália preta de saltos altos, que eu só costumava usar a noite e fui para a sala, pensando em como ocuparia o resto do meu dia para não me entregar ao desejo de me trancar no quarto e ficar remoendo as lembranças dos últimos meses vividos com Johnatan.

Donovan estava ao telefone, mas assim que entrei ele encerrou a ligação.

— Uau! Você está linda. Exatamente do jeitinho que eu imaginei que ficaria.

— Obrigada, mas você não acha que exagerou um pouquinho? Afinal, aonde vamos?

— Não sei... vendo você agora eu não tenho vontade de ir a lugar nenhum. Acho que vou só me sentar aqui e ficar admirando minha obra de arte.

— Sua obra de arte?

— Tá falando assim porque não sabe como foi difícil escolher o que eu queria entre tantas opções. Aquele seu closet poderia muito bem servir de estoque para uma dessas lojas de mix de grifes que tem por aí.

— Você quer dizer que fez eu me vestir assim para ficar em casa?

— Você bem que me devia essa depois de me fazer dispensar a diversão dessa manhã, mas não princesa. Eu tenho outros planos para nós, mas antes sente-se aqui. Quero conversar com você e fazer uma proposta.

— Se é para falar de Johnatan, prefiro que não tenhamos essa conversa. Não quero mais falar sobre o que aconteceu.

— Quem é Johnatan?

Nós dois rimos. Donovan um riso cínico, típico do seu comportamento e que não escondia que ele estava muito satisfeito em ver o anjo finalmente fora da minha vida. Eu, um riso triste, que demonstrava como era insana minha tentativa de fingir que havia superado a dor.

Don segurou minha mão e sentei ao seu lado no confortável sofá.

— Minha princesa! No próximo ano você vai completar seu primeiro século de existência. É uma data muito importante. Vai deixar de ser vista por todos como uma criança e virar uma mocinha adulta.

— Donovan!

— Sério. Eu estava pensando em organizar uma festa para celebrar. Sabe como é. Chamar todos os nossos amigos, muita música, sangue à vontade e quem sabe o que mais você vai querer no seu debut.

— Eu? Você está louco se pensa que vai aproveitar a desculpa do meu aniversário para fazer uma daquelas suas festas regadas a sangue e mulheres para os seus amiguinhos. Não que vocês precisem de uma desculpa para isso. Mas Don, falando sério, eu não estou com o menor espírito para festas e duvido que vá estar no próximo ano. De qualquer forma, ainda falta tanto. Não podemos falar sobre isso quando chegar a época?

— O que posso fazer? Era minha obrigação tentar. O que eu não faria para ver você se divertir de verdade, só para variar. Mas com esse seu ar de depressão é melhor mesmo não arriscar, ao menos por enquanto.

— Obrigada por lembrar que estou deprimida! Era só isso ou você tinha mais algum plano mirabolante para mim, senhor "mundo dos prazeres"?

— É sério, princesa. Você terá que cumprir o ritual e honrar nossas tradições perante o conselho, sabe disso. Precisamos te preparar, desenvolver seu dom e suas aptidões.

— Achei que ninguém mais fazia isso.

— Nós fazemos. Quando eu te trouxe para viver sob minha proteção assumi um compromisso e apesar dos problemas da família, é importante que todos os clãs espalhados pelo mundo saibam que você está pronta para seguir adiante, que conhece as leis e se compromete a respeitar nosso modus vivendi.

— Mas, eu não estou pronta para isso. Nem mesmo conheço as leis ou sei qual é o meu dom. Como posso desenvolvê-lo?

— O dom geralmente é hereditário, tem alguma relação com o vampiro que te abraçou.

— Isso não ajuda muito, já que não sabemos quem foi responsável pela minha conversão.

Por um breve momento, algo na expressão de Donovan me fez pensar que ele sabia mais sobre esse assunto do que havia me contado.

— Se eu estiver certo, acho que sei qual é seu dom, princesa. Mas preciso fazer alguns testes com você para ter certeza.

— Por favor, me explica o que você está pensando. Eu não percebo nada especial. Acho que não tenho um dom.

— Estou certo que sim. Lembra quando você estava presa no castelo do anjo? A maneira como se livrou dos dois vassalos que te mantinham cativa? Você estava há vários dias sem ser alimentada. Deveria estar muito fraca, sem condições de reagir, ao menos esse era o objetivo de Yuri. Mas de alguma forma você conseguiu canalizar toda sua ira e converter em força para derrotá-los, e fez isso com muita facilidade. Até eu me surpreendi. E tenho certeza que isso não passou despercebido a Yuri também.

— Ainda não entendo. Você acha que esse é o meu dom? Muitos vampiros são fortes, essa é uma característica bem comum na nossa raça. Não pode ser considerado um dom. Até eu sei disso.

— A força não, princesa. Mas, o que você fez para consegui-la. Se eu estiver certo, você pode aprender a controlar essa emoção, entende? E sempre que se sentir ameaçada de verdade, pode usá-la para potencializar os poderes naturais comuns a nossa espécie. Quem sabe até onde você pode ir?

— Eu não faço ideia de como fazer o que você está falando. Agi por impulso, em um momento de desespero. Não sei como fiz aquilo.

Donovan segurou minhas mãos entre as dele e olhou direto em meus olhos. Sua expressão era séria e não deixava margem para dúvidas.

— Mas eu sei. Entende agora porque precisamos de tempo?

— Entendo. Só não sei como vou conseguir desenvolver um dom que depende de uma emoção tão extrema.

— Não vai ser fácil, princesa e a última coisa que eu quero é que você se machuque tentando. Mas temos que te preparar, concluir seu despertar e descobrir que outras aptidões você tem. Para isso você terá que confiar em mim.

— Don, você acha que eu posso usar isso para potencializar qualquer poder? Quero dizer... nós sabemos que existem pessoas com uma força mental impressionante e que conseguem resistir por muito tempo ao nosso domínio, principalmente quando usamos em outro de nossa espécie. Acha que eu poderia desenvolver um tipo de super controle mental, capaz de dominar a mente de alguém assim?

— É possível. O problema é que até aprender a canalizar as emoções você vai precisar de estímulo. Entende o que isso significa?

— Você está falando em criar situações para despertar essa ira dentro de mim. É isso, não é?

— Sim, e temos que encontrar uma maneira de fazer isso sem arriscar sua segurança. Não quero que você se assuste e desista. Isso pode ser muito importante para você no futuro, Carlie.

— Tudo bem! Eu vou tentar. Só tem uma coisa que não entendi ainda. Como pode estar tão seguro sobre meu dom? Como sabe que é isso que acontece se nem sabemos quem foi o vampiro que me abraçou? Aliás, eu queria mesmo falar com você sobre isso.

Contei a Donovan sobre o sonho que tive na França, confessando que esse foi o real motivo que me trouxe de volta ao Brasil. Falei sobre as visões que tive quando estava sob o controle de Alec no Castelo dos Anjos e das imagens do assassinato de meus pais, que agora eu sabia ter sido obra do mesmo vampiro que me converteu. Expliquei que não consegui ver o rosto, mas que tinha a sensação de não ser um desconhecido, e contei sobre a hipótese levantada por Johnatan, de que provavelmente era alguém que já havia cruzado meu caminho.

— Não quero te desanimar, mas acho difícil que possamos localizar o responsável baseados apenas nessas visões. Quanto ao seu dom, você terá que confiar em mim, princesa. É muito raro, mas eu já vi isso acontecer antes. Agora venha, vamos sair um pouco.

— E pra onde vamos?

— Tenho que resolver alguns negócios. É rápido, só preciso passar na Casa Paraíso e assinar uma papelada, mas não vou deixá-la aqui sozinha — e vendo minha cara de desânimo, ele completou — Depois, podemos aproveitar sair para dançar. Eu preciso de uísque e um pouco de barulho. Esse apartamento está parecendo um túmulo.

Dizendo isso, ele se levantou e me puxou para o meio da sala, deixando claro que o Donovan sarcástico e alegre estava de volta.

Eu sabia que a conversa séria tinha terminado e que nem adiantava tentar, não arrancaria mais nada dele por hoje.

Quanto mais eu pensava, mais tinha certeza de que Donovan estava escondendo alguma coisa sobre o meu passado. Mas dificilmente ele me daria outra oportunidade para retornar ao assunto da minha conversão. Sendo assim, não me restava mais nada a não ser segui-lo.

Já não sou nada além de um corpo sem alma vagando por um mundo de desilusão.
A agonia do engano só não é maior que a agonia de desejar morrer e não poder.

Capítulo 9
O dia seguinte

Pela manhã minha mente era só confusão. Incrédulo, analisei tudo que aconteceu nas últimas 48 horas. É incrível como a vida de alguém pode mudar sem mais nem menos. Num dia eu estava desfrutando de férias na Europa, na companhia da pessoa que mais amo, longe de todos os problemas, e no outro, o mundo desaba sobre nós com uma força esmagadora.

Não bastasse saber que Carlie tinha ido para a cama com Donovan, eu ainda me sentia culpado por ter usado Claire como um brinquedo no momento da raiva. Agora eu tinha arranjado mais um problema.

Sabia que era imperioso encontrar uma maneira de falar com ela e me desculpar pela noite passada, mas meu estado de ânimo não poderia ser pior, então decidi passar o dia fora. Precisava clarear as ideias e deixar aquela conversa para mais tarde.

Conscientemente estava evitando o confronto, até me sentir pronto para encontrá-la. Em silêncio, me vesti, peguei a chave do carro e saí de casa bem cedo, antes que ela despertasse.

Quando retornei, à noite, Claire estava reclinada no sofá da sala a minha espera. Parecia ansiosa, bebericando sem muito interesse uma taça de vinho. Ao me ver entrar ajeitou o corpo e foi logo iniciando uma conversa, sem me dar chance de escapar.

— John! Ontem me mandou sair do seu quarto e aquilo foi mesmo muito rude de sua parte, mas eu sei que você não está nada bem. Então, mesmo correndo o risco de ser expulsa da sua casa, quero tentar ajudá-lo.

As palavras dela me atingiram em cheio, como um soco inesperado. Ainda não sabia o que fazer com Claire depois da noite de ontem, nem mesmo o que dizer para ela depois do modo como a tratei.

Aproximei-me do sofá devagar, escolhendo as palavras e sentei a seu lado, segurando sua mão livre entre as minhas.

— Claire, me desculpe! Não sei onde estava com a cabeça para fazer aquilo. Nada justifica minha atitude com você na noite passada.

— Não te culpo pelo que aconteceu. Você não foi o único a desejar aquilo. Parte da culpa também é minha, John. Eu sei disso. Mas você estava furioso. Acho que precisa de uma válvula de escape e eu mereço saber o motivo de tudo aquilo.

Ela tinha razão. O mínimo que eu devia era uma boa explicação, que a fizesse entender minha reação. Contei a ela tudo que aconteceu quando fui procurar por Carlie e sobre a curta conversa que tive com Donovan no corredor.

Durante todo o tempo Claire se manteve passiva e foi compreensiva, revelando um lado seu que eu até então desconhecia e que para ser sincero, não combinava muito com sua personalidade.

— Então, foi por isso que você voltou daquele jeito. Acha mesmo que ela agiu assim com você por minha culpa?

— Naquele momento sim, mas agora não. Você se comportou muito mal, mas não era motivo suficiente para Carlie se jogar nos braços dele.

— Sabe do que você precisa agora? Sair e se divertir um pouco.

— Desculpe Claire, mas não acho que seja uma boa ideia.

— Claro que é! Toda mulher precisa de um tempo para pensar e nesse caso, você precisa dar um tempo para Carlie. Deixe-a refletir sobre o que aconteceu. Espere ela te procurar. Se ela te ama mesmo virá até você. Enquanto isso relaxe um pouco, John. Vamos lá, faça companhia a uma antiga namorada que está passando um tempo na cidade.

— Não sei não.

— Ah, John! Por favor! Ficar aqui se lamentando não vai adiantar nada e procurá-la agora só vai pior a situação. É hora de esfriar a cabeça. Além do mais, você me deve essa — Claire concluiu sorrindo.

— Tudo bem, mas nada de expectativas. Não quero bancar o rude com você de novo, nem ficar relembrando o passado. O que aconteceu ontem não vai se repetir.

Claire comemorou efusiva, por me convencer a sair depois de tanta luta. Sinceramente, eu bem que precisava esfriar a cabeça e esquecer um pouco tudo aquilo antes de procurar Carlie novamente.

Quarenta minutos depois, seguíamos no meu carro em direção à cidade.

— E então, aonde você quer ir?

— Você está aqui há mais tempo que eu. Leve-me a algum lugar que costuma frequentar.

— Há meses não saio em São Paulo e acho que os lugares que costumava frequentar não fazem muito o seu estilo.

— Ok! Então vou escolher na sorte, mas tem que prometer que vai me acompanhar onde eu quiser ir.

— Aceito! Você já me tirou de casa mesmo. Por que não?

— Ouvi dizer que tem uma boate aqui perto e que é bem frequentada. Gostaria de ir até lá conhecer um pouco desse ambiente mundano — Claire respondeu, rindo e piscando em minha direção.

— Uau! Está querendo mesmo entrar de cara na diversão. Ok moça! E onde fica isso?

— A algumas quadras daqui. Eu te mostro o caminho.

Claire estava se revelando uma companhia agradável e durante o pequeno trajeto relembrei alguns momentos divertidos que passei ao seu lado, antes de conhecer Carlie.

— É aqui John. Chegamos!

— Aqui? Tem certeza?

— Tenho sim. É essa mesmo. Vamos! Quero conhecer o lugar, pedir umas bebidas, dançar e depois, se você quiser, podemos conversar mais.

Aquele, definitivamente, era o último lugar da minha lista de opções para essa noite. Sem saber, Claire havia me levado até a boate que Carlie costumava frequentar. Onde Donovan era sócio e onde a vi com ele, na noite em que regressou após três meses fora do Brasil.

Havia tanto tempo que tinha até me esquecido do lugar. Mas eu tinha prometido a Claire que a acompanharia onde ela escolhesse e agora era tarde demais para mudar de ideia.

Estacionei o carro e entramos. A casa estava bem cheia. Conseguimos um lugar perto do bar e após alguns drinks já nem lembrava mais por que tinha ido parar ali.

— John! — ela me chamou quase gritando, para impor sua voz acima da música — Preciso ir ao toalete. Não saia daqui ou não vou encontrá-lo nunca mais nesse mar de gente.

— Tudo bem. Vou te esperar aqui mesmo.

Enquanto esperava Claire voltar, decidi buscar mais uma bebida para nós.

— Mais dois desses, por favor! — pedi ao barman, mostrando os copos vazios.

Estava esperando os drinks quando olhei para o lado e reparei na mulher de vestido vermelho, sentada em um banco na outra ponta do bar.

Mal pude acreditar quando a vi. Já tinha bebido bastante, mas nunca me confundiria. Era ela e estava linda. Mas o que Carlie está fazendo aqui sozinha?

Instintivamente, levantei-me e segui em sua direção. Precisava falar com ela e seria agora.

— Com licença! Desculpa, estou passando. Dá licença, por favor! Carlie! — atravessei o espaço apinhado de gente até o outro lado do bar. Chamei várias vezes seu nome, mas a música não a deixava ouvir. E antes que pudesse alcançá-la, ele apareceu.

Donovan Hunter. O guardião. Sempre ao seu lado. Então ela tinha vindo com ele? Como não imaginei isso antes?

— John! Voltei e estou te procurando há vários minutos. O que você está fazendo aqui? Não era para me esperar lá?

— Ah! Sim Claire, é que vim buscar mais bebida — respondi, entregando um dos copos a ela sem perder Carlie de vista.

Donovan falava alguma coisa em seu ouvido. Fosse o que fosse, ela não parecia demonstrar muito interesse e se virou, vasculhando ao redor com o olhar, como se estivesse entediada. Foi então que reparou em minha presença, justamente no momento em que Claire depositava um beijo em meu rosto, agradecendo o drink e me puxando para a pista de dança.

Deixei-me conduzir através das pessoas que lotavam o acesso até a pista e quando voltei a olhar, ela estava se despedindo de algumas pessoas e seguindo com Donovan para a saída.

A dor voltou a me invadir. Eu realmente a amava e havia até mesmo desistido do meu plano de redenção para ficar com ela, mas agora era tarde demais.

Sentada no parapeito da janela, com os braços em volta das pernas dobradas, observava o movimento da cidade à noite, sem enxergar realmente o que se passava lá fora. Meus pensamentos vagavam pelos meses em que vivi com Johnatan e tudo que ele significou para mim.

Por mais que tentasse, não conseguia entender como ele foi capaz de me trair daquela maneira. Eu realmente acreditei que ele me amava, mas vê-lo por duas vezes com aquela mulher, justo ela, fez ruir tudo que eu pensava ser real sobre nós. E ainda assim, meu coração insistia em sentir falta dele.

Será que um dia eu seria capaz de esquecê-lo?

Uma lágrima solitária rolou por meu rosto, mas não me dei ao trabalho de limpá-la.

O silencio do apartamento foi quebrado pelo som da porta abrindo. Sabia que era Donovan, mas não me virei para olhá-lo. Continuei na mesma posição, absorta em minha solidão, sem querer abrir mão de minha dor. Como se a dor fosse a única forma de ter o anjo perto de mim.

— Vim ver se você quer fazer alguma coisa. Quem sabe, sair um pouco.

— Acho que não serei uma boa companhia, mas obrigada mesmo assim.

— Vai passar a noite toda sentada ai, lamentando por ele?

— Você acredita que ele pode ter se aproximado de mim só porque sou parecida com ela?

— Princesa, isso não faz o menor sentido. Ela é loura. De onde tirou essa ideia?

— Se você esquecer o cabelo, ela até que é bem parecida comigo. Temos a mesma altura, o mesmo formato de rosto, os mesmos olhos azuis. Até os nomes soam parecido. Ela poderia perfeitamente passar por minha irmã.

— Tem que parar de pensar nessas coisas. Até quando pretende se consumir por causa dele? Está se torturando com essa atitude e você não precisa disso.

Apesar da resposta que dei a Carlie, foi inevitável traçar uma comparação entre o que ela acabara de dizer e minha própria situação.

Se eu mesmo passei décadas evitando me relacionar com qualquer mulher que me lembrasse ela, Johnatan poderia perfeitamente ter feito o contrário em relação a tal de Claire. Mas ela já havia sofrido o suficiente e não precisava ouvir isso de mim.

Meus pensamentos foram interrompidos por Carlie e algo em seu tom de voz fez acender um alerta de perigo em minha mente. As coisas já estavam ruins o suficiente sem que ela começasse a ter ideias suicidas.

— Estava pensando em como é fácil para os humanos. Tomam um remédio ou se jogam do vigésimo andar, e pronto. Tudo acabado. Nós não temos essa opção.

— Tem uma coisa que você precisa saber — Donovan falou, caminhando pela sala às escuras e se aproximando cuidadosamente da janela onde eu estava. Olhei para ele por um breve momento e voltei novamente minha atenção para a rua lá embaixo, sem responder.

— Naquela manhã, depois que você adormeceu no meu apartamento, ele esteve aqui. Na hora achei que ele merecia sofrer um pouco também e por isso não te contei, mas agora, vendo você nesse estado, não sei se tomei a melhor atitude.

— Não se culpe por isso, Don. Se tivesse me contado naquele dia eu provavelmente teria ido atrás dele, rastejando, implorando seu amor. Mas agora, sei que isso não faria diferença. Se ele me amasse mesmo teria ligado, tentado conversar comigo.

— Você está chorando de novo! — Donovan constatou. Sua expressão transparecendo preocupação — Carlie, faz quase um mês que te vejo sofrendo e sinceramente não dá mais para ver você assim e não fazer nada. Respeitei seu espaço e esperei, porque achei que com o tempo você sairia disso sozinha, mas a cada dia que passa eu te encontro pior. Desculpe princesa, mas não tem outro jeito. Não posso deixar isso continuar. Está te destruindo.

Voltei a olhar para ele, sem entender o que queria dizer com aquele discurso.

— Não há nada que você possa fazer quanto a isso, Don.

Ele chegou mais perto e fixou o olhar em mim, segurando meus ombros com um carinho quase paternal.

— Há sim. Olhe para mim, princesa. Nunca usei domínio em você, mas é a única maneira de pôr um fim nisso. Vou colocá-la na cama e você vai dormir um sono tranquilo. Nada de sonhos com ele, nem de nenhum outro tipo, está entendendo?

Balancei a cabeça levemente, concordando.

— Não vai se lembrar disso, mas quando despertar amanhã vai se sentir melhor. Sem dor, sem lágrimas, sem sofrimento. Vai deixar de lado seus sentimentos por esse cara e seguir com sua vida. Agora venha!

Donovan me pegou no colo e passei os braços em volta de seu pescoço enquanto ele me carregava até o quarto.

— Seja uma boa menina e descanse.

Fechei os olhos sem resistir, obedecendo a seu controle e adormeci.

Na manhã seguinte, estava sentada no chão do closet, terminando de separar os sapatos, quando ouvi um barulho no corredor e em seguida o som da porta de entrada abrindo. Não precisava verificar para saber quem era.

— Oi! Vim saber como está se sentindo hoje.

— Estou ótima. Obrigada! — respondi, sem entender o porquê de tanta atenção logo pela manhã.

— Estou vendo. Parece que levantou cheia de disposição.

— Faz algum tempo que precisava arrumar isso aqui.

Donovan se aproximou e depositou um beijo em minha testa. Olhei para ele sorrindo antes de prosseguir.

— Separei um monte de coisas que não quero mais. Roupas, sapatos, bijus. Estou enjoada dessas coisas. Você acha que se eu levar para a Casa Paraíso, eles encontrarão alguém interessado em uma doação?

— Tá brincando? Quem não gostaria de receber uma doação como essa?

— É sério, Don!

— Mas estou falando sério, princesa! Olha só, são todas peças de grife. Algumas nem me lembro de ter visto você usar. Acho que não terão dificuldade de encontrar alguma garota interessada, entre os doadores. Mas, porque isso agora?

— Já disse. Estou enjoada de tudo isso. Preciso de coisas novas. Olhe para mim. Estou horrível! Não sei como pude ficar assim e não fazer nada, mas já marquei uma hora no salão. Então, se veio dizer alguma coisa importante, diga logo, porque preciso me vestir para sair.

— Entendi bem? Estou sendo dispensado?

— Não é isso, Don. Ah! Pare de se fazer de vítima e diga o que quer — respondi rindo.

— Nada demais. Também tenho que sair. Só vim mesmo para ver se precisava de alguma coisa.

— Sei — respondi demonstrando que não acreditava nem um pouco.

— Quer uma carona? Posso te deixar no shopping.

— Hum! Acho melhor não. Posso demorar. Prefiro ir com meu carro.

— Tudo bem então. Te vejo a noite.

Donovan respondeu, virando-se para sair e já estava fora do closet quando o chamei de volta.

— Don! Estive pensando sobre a casa da Dinamarca.

— O que tem ela?

— Imagino que existe um prazo para que a família a desocupe e libere as chaves para nós.

— Na verdade, já desocuparam há uma semana, mas você não parecia com muita disposição para falar sobre isso.

— É mesmo? — estranhei aquela informação, mas não dei muita importância — Bem, agora estou. Quando acha que podemos nos mudar?

— Tem certeza que está pronta para sair de São Paulo?

— E porque não estaria? Não há nada que me prenda aqui.

— Ok, me dê alguns dias. Tenho que acertar os detalhes e então poderemos ir.

— Ótimo! — levantei e o abracei — Não vejo a hora de voltar ao nosso lar.

Donovan sorriu satisfeito, depositou outro beijo em minha testa e completou, antes de partir:

— Coloque essas coisas em uma mala antes de sair. Vou mandar alguém passar aqui para pegar.

A ferida cura, mas a alma já não é a mesma.
O entardecer chegou à minha vida.
Meus olhos perdidos submergem no passado.

Capítulo 10
Johnatan Fallen

Seria melhor para o meu coração se eu não ficasse revolvendo a ferida.

O fato de me trancar no quarto, enrolado nas cobertas e pôr para tocar as músicas que me fazem lembrá-la, não ajuda nem um pouco a melhorar a situação.

Nem todos os finais são felizes e depois da queda, não posso dizer que me tornei alguém merecedor de coisas boas. Mas, realmente acreditei que o nosso final poderia ser feliz.

Na verdade, o que eu queria mesmo era viver para sempre ao lado dela. Sem final, sem feridas para revolver ou músicas para me lembrar de que a perdi.

Às vezes, me sinto egoísta por valorizar excessivamente meus dramas pessoais, como não ter mais o amor de Carlie. Existem coisas maiores acontecendo no mundo. Algumas bem perto. E eu aqui, sofrendo de amor. É deprimente! Chega a ser ridículo.

É óbvio que posso ser feliz sem ela. Não preciso de ninguém, muito menos alguém a quem eu tenha que mendigar atenção.

Já perdi a conta de quantas vezes me peguei pensando nos planos que fizemos e que não vão acontecer. Não é possível que eu me preocupe tanto com alguém que já não se importa mais comigo. Sempre fui fora dos padrões quando o assunto é amor e sempre soube que algum dia eu quebraria a cara. Mas, quem disse que isso me impediu de amá-la?

Não me importava em continuar nesse estado ao decorrer do dia, mas confesso que seria mais fácil se soubesse que ela também está sofrendo. Que também sente minha falta. Ao menos, seria um consolo pensar que Carlie também não consegue dormir a noite, que também fica acordada, olhando para o teto e pensando em mim.

Mas eu não tinha essa ilusão.

Ela estava com ele e com certeza eu seria a última pessoa de quem ela deveria lembrar. Na certa, estava agora mesmo nos braços daquele vampiro idiota, e tudo que eu ganhei pelo tempo que passamos juntos foi mais uma ferida. Outra mágoa que levarei para o resto da vida.

Queria ficar na cama o dia todo. Ou pelo menos até não sentir mais tanta pena de mim mesmo, mas havia Claire e sua batida insistente na porta me obrigando a reagir.

— John! — ela fez uma pausa esperando que eu respondesse e como continuei calado, insistiu — John, sei que você esta aí. Há dias que não sai desse quarto.

Claire era uma guerreira, assim como eu fui um dia e podia ser muito persistente quando queria algo.

— John! Estou entrando.

— Maldição! Será que não posso mais ficar em paz, nem em meu próprio quarto?

— Ah! O que é isso John? Acha mesmo que ficar aí ouvindo essas músicas e se martirizando vai trazê-la de volta? Você precisa se recompor.

— Não estou a fim.

— Não está a fim? Não pode simplesmente dizer que não quer sair desse estado. Olhe só para você. Está deplorável!

— Só quero ficar sozinho, Claire. Por favor, vá embora. Você não tem nada melhor para fazer do que vir aqui me atormentar?

Pensei que dizendo isso ela me daria às costas, chateada por ter sido tão rude, e eu poderia voltar para minha angústia. Mas ela não se deu por vencida.

— John, você já foi o melhor em guerra — ela falou sentando na beira da cama — Era um general. Comandava milhares de soldados. Agora, olha o estado em que se encontra. E tudo isso por causa de uma garota vampira?

— *Ex-general!* Eu fui. Não sou mais. E ela também não é só uma garota.

— John, qual é? Vamos lá. Eu preciso de você. Levante-se dessa cama e vá tomar um banho. Vamos sair. Você precisa espairecer um pouco.

— Não quero sair e não creio que vá ser uma boa companhia para você hoje.

— Acha mesmo que vou deixá-lo aqui, infeliz, enquanto ela está lá, se divertindo com outro?

Não respondi, nem precisava. O olhar fulminante que dirigi a ela já dizia tudo.

— Desculpe! Não quero te deixar ainda mais deprimido. Só acho que se você pretende revê-la algum dia, que seja de cabeça erguida e não será se trancando nesse quarto que vai conseguir isso.

Odiava admitir, mas ela estava certa. Querendo ou não, Carlie agora estava com Donovan e não voltaria para mim. Ficar deprimido na cama não mudaria em nada a situação. Agora que ela não está mais a meu lado, nada me prende aqui na terra. Precisava retomar o plano original e conquistar meu direito a redenção.

— Certo! Vou levantar e tomar uma ducha. Vamos sair.

— Isso! — Claire comemorou, fingindo dar um soco no ar.

Sabia que mesmo que recusasse ela persistiria. Essa era uma característica que as duas tinham em comum.

Quando cheguei à cozinha, encontrei Claire me esperando com um verdadeiro banquete.

— Mas, o que é isso tudo?

— É para você. Depois de tanto tempo sem se alimentar direito, você precisa. Além do mais, teremos um longo dia.

— E para onde pretende me arrastar dessa vez?

— Como assim? Para o shopping, é claro. Preciso de roupas e nada melhor do que um lugar movimentado para melhorar o ânimo.

— Mais roupas? Mas você vai ficar aqui por pouco tempo. Pra que precisa disso?

— John! Você não entende. É homem.

Ri da cara de seriedade com que ela me respondeu.

— Mulheres! Vocês são mesmo todas iguais, não importa a raça.
— Termine de comer logo e vamos sair antes que você mude de ideia. Depois, podemos até pegar um cineminha, se você quiser claro.
— Isso vai depender de quanto tempo pretende cansar minha paciência com suas compras — respondi, fechando a cara, mas no fundo estava me divertindo com a ansiedade que Claire deixou transparecer, com medo de que eu voltasse atrás.
— Prometo não abusar muito.
— Ok! Vamos então.
O dia acabou sendo mais interessante do que imaginei. Por alguns momentos Claire conseguiu me fazer esquecer os problemas e até me divertir um pouco.
Como previ, ela me fez entrar em diversas lojas e carregar várias sacolas, todo o tempo exigindo minha atenção, como uma estratégia para não me deixar sozinho com meus pensamentos.
— John, olha esse vestido. Gostou?
— Acho que o outro ficou melhor em você.
— Eu gostei desse.
— Não sei por que pede minha opinião se você já está decidida.
— Porque você tem bom gosto, bobinho.
— Então, leve o outro.
— Resolvido! Vou levar os dois.
— Agora chega de compras, caso contrário, nem com toda generosidade de Rafael você terá dinheiro para se manter até o fim da missão.
— Não seja maldoso! — ela respondeu rindo — Ainda temos tempo antes de começar o filme. Que tal um sorvete?
— Você é quem manda.
Saímos da loja, levando mais uma sacola com os dois vestidos que ela escolheu e procuramos a sorveteria. Faltavam quarenta minutos para o início da sessão para a qual tínhamos comprado bilhetes, o que nos dava tempo mais que suficiente para o sorvete e um pouco de conversa.
— E então, como se sente?

— Foi bom ter a sua companhia. Parece que você veio na hora certa.

— Acho que, apesar de tudo, ele ainda sabe como fazer as coisas — Claire respondeu olhando para cima, numa clara alusão ao soberano.

— Isso eu não sei. Só sei que seria mais difícil passar por essa fase sem alguém como você aqui para me apoiar.

— Sei exatamente como se sente. Como acha que fiquei quando foi banido?

— Claire...

— Não! Tudo bem, John. Eu sei. Somos só amigos agora e nada vai acontecer. Eu apenas quis dizer que...

— Ei! — interrompi antes que ela terminasse de se desculpar. Não era sua culpa e não podia deixá-la sentindo-se mal por isso — Me escuta, ok? Você é linda e eu fui muito feliz com você. Seguramente estaríamos juntos até hoje, se eu não fosse banido. Mas o problema agora é que meu coração está fechado. Não posso começar uma nova história com ninguém, nem seria justo reviver o que tivemos, sabendo que em breve teria que acabar novamente. Entende?

— Sim, eu entendo John. Sei que você a ama e que mais cedo ou mais tarde eu terei que voltar. Bom, mas vamos parar com isso. Essa conversa tá ficando muito estranha, não acha? Melhor irmos para o cinema, a sessão já vai começar.

Depois do cinema saímos do shopping e levei Claire a uma hamburgueria. Pedimos sanduíches e cervejas, e passamos o resto da tarde relembrando as coisas que fizemos juntos, enquanto eu ainda pertencia ao céu. Claire contou sobre sua vida depois que caí e contei para ela parte das minhas aventuras aqui na terra. Já estava escurecendo quando decidimos voltar para casa.

— Temos que ir.

— Sério? Foi tão bom!

— Foi mesmo. Você tinha razão em me tirar daquele quarto — respondi, afagando sua mão afetuosamente.

— Tem certeza de que não podemos esticar e aproveitar a noite?

— Não sei se é uma boa ideia Claire.
— Ah! Por favor, John. Diga sim, por favor!
— Ok! Você venceu, mas antes vamos para casa descansar e trocar de roupa e saímos de novo mais tarde.
— Obrigada! — ela respondeu animada, beijando meu rosto — Dessa vez deixo você escolher o lugar.

Voltamos para casa e aproveitei o tempo em que Claire se manteve ocupada, guardando as coisas que comprou, para dormir um pouco. Há dias que não conseguia dormir bem e ainda era muito cedo para sair. Não passava das sete da noite e algumas horas de sono antes da balada não seria má ideia.

Três horas depois ela voltou a bater na porta do quarto para me acordar e dessa vez a recebi de bom humor.

— John! Já passa das dez. Você não desistiu, não é mesmo?
— Claro que não! O que está esperando para se arrumar?
— Que ótimo! Fico pronta em um instante.

Uma hora depois Claire apareceu na sala. Eu já havia perdido a esperança e tomado duas doses de uísque sentado no sofá, achando que talvez *ela* tivesse mudado de ideia quanto a sair àquela noite.

— Uau! Você está inda!

E estava mesmo. Claire havia colocado um dos vestidos que comprou aquela manhã no shopping. Era preto e se ajustava ao corpo, revelando suas formas perfeitas e para completar, sapatos vermelhos altíssimos, que deixavam suas pernas ainda mais torneadas.

— Foi você que escolheu. Achei que merecia ser o primeiro a me ver com eles.
— Podemos ir ou você quer tomar alguma coisa antes? — perguntei mudando de assunto.
— Prefiro beber quando chegarmos lá. Aliás, já sabe aonde vamos?
— Sei sim. Conheço um lugar perfeito para levá-la. Tenho certeza que você vai gostar.
— E o que estamos esperando?

Ela perguntou e se dirigiu para a porta sem esperar resposta. Quando passou por mim deixou no ar a fragrância do perfume exótico que usava.

Entramos no carro e segui para uma badalada danceteria que costumava frequentar antes de conhecer Carlie.

Tinha acertado em escolher aquele lugar. Encontrei pessoas que não via há vários meses e Claire parecia estar mesmo se divertindo. Passamos a noite bebendo e dançando, e às quatro da manhã voltamos para casa.

— Boa noite, John! Obrigada pela companhia.

— Eu que te agradeço por ter me tirado daquela depressão.

— Foi muito bom passar um tempo com você.

Claire se aproximou e depositou um beijo suave em meu rosto, antes de se virar e ir para seu quarto.

Fui para minha cama, mas não consegui dormir. Passei o que restava da noite pensando e avaliando tudo que tinha feito em minha vida. Revisitei meu passado, à frente do exército de Rafael, e a atitude que me levou a queda. Revi as consequências do caminho que escolhi trilhar na terra e pensei em meu plano para obter a redenção, e no que poderia ser o meu futuro.

Mas principalmente, passei a maior parte do tempo pensando em duas pessoas: Carlie e Claire, e a forma que aquelas duas mulheres afetavam minha vida.

No silêncio, o vento sopra um suave lamento... uma canção de recordações. O inverno se fez em minha vida, mas já posso sentir novamente o perfume da primavera que se aproxima.

Capítulo 11
Retornando ao lar

Uma semana depois, estávamos de volta a nossa antiga casa na Dinamarca.

Com exceção das mobílias, tudo permanecia igual a minhas lembranças. Instalei-me no quarto que ficava no fim do corredor, depois do quarto de Donovan. O mesmo que ocupava antes de partir, o que me trouxe uma reconfortante sensação de aconchego.

De minha janela, tinha uma ampla visão da extensa área gramada na parte de trás, que se estendia dos fundos da casa até o bosque, com suas árvores altas delimitando nosso terreno. Podia ouvir o barulho da água correndo no riacho, antes de formar o pequeno lago onde eu costumava mergulhar.

No lugar da linda cama com dossel que eu usava, havia agora uma cama moderna e mais larga. O estilo não era exatamente o que eu escolheria, mas até que era bonita.

Experimentei o colchão, duro demais para o meu gosto e anotei mentalmente a primeira providência para o dia seguinte. Trocar o colchão e providenciar travesseiros e roupas de cama novas.

Estava terminando de desfazer as malas quando Donovan entrou.

— Se vamos passar um ano aqui, temos que fazer algumas mudanças. No meu quarto tem uma cama que mal cabe uma pessoa adulta.

Ri, menos pelo comentário do que pela expressão de indignação estampada no rosto dele, como se aquilo fosse uma verdadeira afronta pessoal.

— Eu já esperava por isso, Don. Reparei que a sala de leitura foi transformada em quarto de brinquedos ou algo assim. Acho que eles tinham crianças.

— Você cuida disso?

— Pode deixar tudo por minha conta. Até que vai ser uma tarefa divertida.

— Faça como achar melhor, só prometa que vai se livrar daquele estofado horrível, que está lá embaixo ocupando boa parte da sala.

— Eu me livro dele, mas quero algo em troca.

— Será que vou querer saber o que é? — ele perguntou, desconfiado com minha pequena chantagem.

— É simples. Quando estava na casa de Kasyade, ou melhor, do falso Kasyade, vi algo que me agradou muito.

— Difícil imaginar isso, mas o que seria?

— Um mini SPA. Ficava no jardim e tinha até um ofurô. Era tão lindo! Pensei em fazer um para nós. Temos tanto espaço na parte de trás do terreno.

— Por mim tudo bem, apesar de não conseguir imaginar um maldito caído com bom gosto, mas se você deseja... A casa é sua, princesa! Faça o que quiser com ela.

— Ótimo! Amanhã mesmo vou começar a providenciar tudo que precisamos.

— Certo. Vou dar uma saída. Pode ser que demore, mas se isso acontecer envio alguém para abastecer o freezer. Você quer alguma coisa especial?

— Não! O mesmo de sempre.

— Ok! Até mais tarde.

Nas semanas seguintes, meu tempo foi quase todo dedicado a reorganizar a casa e me adaptar a cidade, que havia mudado bastante nas últimas décadas. Quando terminei, tínhamos de volta nossa sala de leitura, um SPA no quintal e até a antiga adega de Donovan, totalmente restaurada e abastecida.

A casa havia finalmente recobrado o ar sofisticado e acolhedor dos velhos tempos.

Às vezes, me pegava distraída pensando em Johnatan. Mas estranhamente, as lembranças do fim de nossa relação já não eram doloridas. Pareciam distantes, como se fossem parte da vida de outra pessoa.

Donovan havia encontrado alguém para cuidar de seus negócios no Brasil, ficando com algumas poucas responsabilidades que podiam ser resolvidas a distância. Assim, tinha tempo de sobra para iniciar meu treinamento. E sua primeira tarefa, no intuito de me preparar para a apresentação do conselho, veio em forma de uma entediante e cansativa leitura. Ao menos foi o que pensei, quando vi o enorme livro que ele pôs em minhas mãos.

— O que é isso?

— *Isso* — ele respondeu dando ênfase a palavra, para criticar a cara de desânimo que fiz ao receber o livro — é o livro das leis. Nele você também vai encontrar a história de nosso povo e o registro de todos os clãs que fazem parte do conselho.

— Está falando sério? É muita coisa. Não vou conseguir decorar isso tudo a tempo. Além do que, não me parece ser uma leitura muito estimulante.

— Você pode se surpreender.

Olhei para ele com cara de quem não acreditava nem um pouco naquela possibilidade.

— Tá legal! Admito que você tenha alguma razão, princesa. O erro foi meu e peço desculpas por isso. Deveria tê-la iniciado há muito tempo, mas agora não temos outra opção. Então, comece o quanto antes.

— Vou fazer o melhor possível, mas não sei se posso dar conta.

— Se eu tivesse alguma dúvida de que você é capaz nem estaríamos aqui. Ainda temos algum tempo pela frente. Eu diria que uns seis ou sete meses, talvez um pouco mais, se eu conseguir uma boa desculpa para adiar. E você pode estudar paralelamente ao treinamento.

E foi assim que passei os dias que se seguiram. Condenada ao total isolamento, agarrada com aquele livro, sem nenhuma esperança de desfrutar um pouco de vida social. Mas surpreendentemente, me vi envolvida pela história da evolução de nossa raça e conhecendo melhor nosso passado, pude entender porque as leis eram tão importantes.

Algumas semanas depois, Donovan deu início ao desenvolvimento de minhas aptidões.

— Preste atenção, princesa! Não tente me vencer pela força. Por mais que se esforce, não conseguirá ser mais forte que eu. Você tem que aprender a dominar suas habilidades. Telestesia, empatia, compulsão, velocidade. Se intensificar tudo isso com o poder do seu dom, eles serão sua maior arma.

— Não adianta. Não consigo. Parece que não tenho concentração suficiente para isso.

— Claro que tem! Está dentro de você, só precisa despertar.

— Como?

— Feche os olhos e concentre-se. O que está ouvindo?

— Ouço o som das folhas das árvores balançando com a brisa e um barulho diferente, como folhas e galhos sendo pisados suavemente. Talvez seja algum animal no bosque, e bem ao longe o ruído da água do riacho.

— Assim não. Isso é muito superficial. É praticamente o que um humano perceberia. Você tem que ser mais precisa.

— Tá legal, mas não tenho a mínima ideia de como fazer isso.

— Relaxe! Esqueça tudo a sua volta e foque em um único objetivo. Vamos tentar o riacho.

— O riacho está muito longe, Don. Não vou conseguir.

— Se não fosse assim não teria graça. É claro que você consegue. Agora pare de reclamar e concentre-se, Carlie!

Fechei os olhos e fiz como ele orientou. Foquei no riacho, tentando identificar aquele som específico, entre tantos a minha volta. Pouco a pouco, fui eliminando um a um, até que só restou o som da água.

— Agora me diga: o que você ouve princesa?

— A água batendo nas pedras... depois o som fica constante, mais suave. Uma folha caindo no leito do rio. Alguma coisa atravessando para a outra margem. Um animal pequeno. Não sei dizer qual... Não sabia que havia peixes aqui! Nunca os vi, mas posso ouvi-los nadando e... Mais nada, não consigo ouvir mais nada, além disso.

Abri os olhos e como num passe de mágica tudo voltou ao normal. Todos os sons estavam de volta.

— Excelente! Você foi muito bem. Melhor do que eu poderia esperar para a primeira vez.

— Sério? — Sorri como uma estudante que fica feliz ao completar uma tarefa com sucesso e ser elogiada pelo professor. Minha expressão deve ter revelado como eu me sentia porque Donovan logo emendou.

— Não vai ficando tão empolgada, estamos só começando. Você ainda tem muito que aprender.

— Porque você tem sempre que ser tão mau comigo? Não pode simplesmente reconhecer que eu sou boa em alguma coisa?

— Você é boa em muitas coisas princesa e se depender de mim vai ficar ainda mais. Agora, chega de descanso. Vamos tentar de novo, só que dessa vez quero que investigue toda a área da mata ao redor e descreva o que encontrar.

Voltei a fechar os olhos e me concentrei. Primeiro vasculhei o espaço mais próximo de onde nos encontrávamos, então, fui expandindo até quase alcançar os limites de nossa propriedade. Mas para minha decepção, além de alguns animais que viviam no bosque, não havia nada ao redor que merecesse ser mencionado. Até que ouvi os passos.

— Humanos! Há pessoas aqui, Don.

— Muito bem! Provavelmente são turistas. Concentre-se neles.

— São dois. Não! Três. Acho que estão perto do rio. Espere — fiz uma pausa e o barulho da água em movimento revelou que alguém havia mergulhado — Estão tomando banho no lago. Dois homens e uma mulher. Posso ouvir a voz dela, mas não consigo entender o que está dizendo.

— Ok! Isso foi ótimo! Se fossem inimigos você saberia exatamente onde estão. Poderia encontrá-los facilmente e atacá-los, ou se defender. Não seria pega de surpresa. Entende a importância disso?

— Entendo, e dessa vez não foi tão difícil — respondi, satisfeita comigo mesma.

— Agora vamos voltar. Já passa de duas da tarde. Tenho um compromisso na cidade e você precisa se alimentar.

Voltamos para casa, evitando nos aproximar do lago onde estavam os turistas. Donovan foi direto para o quarto. Com certeza não demoraria em voltar, pronto para seu compromisso. Enquanto isso, fui até a cozinha, enchi um copo com sangue e me acomodei na sala de leitura. Estava tentando me concentrar no livro das leis.

Vinte minutos depois e ele estava de volta. O cabelo úmido, recém-saído do banho e impecavelmente vestido, num terno preto e camisa branca.

— Precisa de alguma coisa da cidade?

— Não, obrigada!

— Você tem dedicado muito tempo a sua preparação. Está indo bem, princesa. Talvez fosse uma boa ideia dar uma pausa e sair um pouco para relaxar.

— Eu estou bem, Don! Não se preocupe. Não é tão ruim quanto eu imaginava a princípio — respondi num tom divertido. Um sinal claro de que o isolamento não estava me afetando.

— Você é que sabe, mas se mudar de ideia me avise. Posso vir buscá-la para sairmos à noite.

Dizendo isso, ele me deu um carinhoso beijo na testa e se afastou em direção ao hall. Acomodei melhor o corpo, voltando minha atenção ao livro, para reiniciar meus estudos. Foi quando escutei a voz vinda do jardim.

— Senhor, desculpe invadir sua propriedade. É que me perdi de meus amigos lá na floresta e não consegui achar o caminho para a estrada.

Saí para ver o que estava acontecendo e deparei-me com um rapaz de aproximadamente uns dezoito anos. Estava suado pela caminhada, aparentando cansaço e nitidamente assustado com a figura imponente de Donovan, que o fitava sério, do alto da escada que dava acesso à entrada da casa.

— O que está acontecendo, Don?

— Parece que um dos turistas que você mencionou se perdeu e veio parar aqui.

Dei meu melhor sorriso para tranquilizar o jovem, antes de me dirigir a Donovan.

— Pode ir para seu compromisso. Não precisa se atrasar por causa disso. Eu mesma cuido de mostrar a saída para ele.

— Tenho uma ideia melhor — Donovan retrucou tirando o paletó, e antes que eu pudesse sequer imaginar sua intenção, ele arrastou o rapaz para a parte de trás da casa, usando domínio para mantê-lo quieto.

— Donovan Hunter! O que pretende fazer?

— Não percebe? Isso é perfeito. Podemos usá-lo no seu treinamento.

— Você não tinha um compromisso na cidade?

— Isso pode esperar. Não vou perder essa oportunidade.

— Não vejo como ele possa ser útil para nós.

— Mas eu sim.

A expressão dura que surgiu em seu rosto revelou que eu não gostaria nem um pouco do que estava por vir e minhas suspeitas foram logo confirmadas.

Donovan dobrou os punhos da camisa aproximando-se do rapaz, que permanecia sob seu controle mental.

— Quando eu mandar você vai correr o mais rápido que puder. Entendeu?

O jovem balançou a cabeça, confirmando que tinha entendido as instruções.

— O que vai fazer com ele? — perguntei, sem gostar do rumo daquela situação.

— É simples! Vamos exercitar sua velocidade, princesa. Terá que alcançá-lo antes de mim. Se não fizer, vou me alimentar dele até você chegar.

— Está louco? Não pode fazer isso. Não vou entrar nesse jogo insano com você.

— Ah, não vai? — e então, virando-se para o rapaz ele ordenou — Corra!

Fiquei paralisada, sem saber se ia atrás dele ou se dava meia volta e entrava na casa, pondo fim aquela loucura. Mas antes que tivesse chance de decidir, Donovan partiu como um raio alcançando o rapaz, sem me deixar escolha, a não ser tentar impedi-lo.

Corri numa velocidade vertiginosa, mas ele era muito rápido e quando finalmente venci a distância que nos separava, ele já estava com as presas cravadas no pulso do garoto.

— Pare com isso já! Não pode me obrigar a participar de algo assim — gritei, na esperança que ele liberasse o rapaz e colocasse um fim naquilo. Mas Donovan não deu a mínima para meu protesto e novamente ordenou que ele corresse no sentido oposto.

Dessa vez não perdi tempo. Parti imediatamente atrás dele, mas de novo não consegui alcançá-lo antes que atacasse sua vítima.

— Está atrasada, princesa! — ele falou, erguendo o rosto e limpando a boca no braço de sua presa — Estou começando a me cansar. Desse jeito serei obrigado a ser mais convincente, para que se sinta estimulada.

— Donovan, isso já foi longe demais. Solte-o, por favor!

Mas novamente ele me ignorou, compelindo o rapaz a iniciar outra corrida.

Donovan tinha passado do limite. Eu estava furiosa por ser obrigada aquilo e quando o alcancei, não contive minha raiva, partindo para cima dele com a mesma fúria com que teria enfrentado um inimigo de verdade.

— Não pode me vencer pela força. Ainda não entendeu? — ele agarrou meu braço quando estava prestes a atingi-lo e então, enlaçou o pescoço do rapaz, ameaçando — Agora está com raiva? Pois, use-a para salvá-lo, porque dessa vez se você não chegar antes de mim vou matá-lo, Carlie.

Não podia permitir que isso acontecesse. Tinha que impedi-lo a qualquer custo. Senti a ira se espalhar, como uma corrente elétrica dominando meu corpo e parti em disparada.

Agarrei o jovem e girei, colocando meu corpo entre ele e Donovan, uma fração de segundos antes que ele o alcançasse. As presas à mostra, pronta para atacá-lo.

— Se você der mais um passo eu juro que vai se arrepender.
— Calma aí! Você conseguiu. Está vendo? Acabou!
— Você é um monstro, Donovan Hunter!
— Devia estar feliz. Salvou a vida dele.
— Eu odeio você! — foi tudo que respondi antes de me afastar, entrando pela porta da cozinha e levando o garoto comigo.
— Está tudo bem. Não tenha medo. Eu vou cuidar de você.

Pureza: estado natural da alma e do coração. Transparência no sentir, no pensar e no agir. Viver sem julgar, mantendo o coração aberto, é o que nos faz recomeçar sem medo de errar.

Capítulo 12
Solucionando o conflito

Ouvi os movimentos de Donovan no andar de cima, enquanto limpava o ferimento no braço do jovem e fazia um curativo. Alguns minutos depois, o barulho da porta da frente, seguido do motor do carro, indicou que ele finalmente havia saído.

Depois de levar o rapaz até a entrada da propriedade, certifiquei-me de que ele não se lembraria de mim ou de Donovan, nem do que havia acontecido, e orientei-o para retornar a cidade.

Voltei para dentro da casa e segui para o quarto, levando comigo o maldito livro das leis, mas estava agitada demais para voltar à leitura. Larguei o livro de lado e fui para o banheiro. Talvez, uma boa ducha ajudasse a aliviar um pouco o stress daquela tarde horrível.

Saí do banho vestindo um roupão e me joguei na cama. Permaneci deitada, me sentindo apática pelo resto da tarde.

Jamais imaginei que Donovan seria capaz de tanta crueldade, e pensar no que poderia ter acontecido se eu não chegasse a tempo me fazia sentir ainda pior.

Aos poucos, a raiva foi cedendo lugar à tristeza, e quando a noite caiu eu estava chorando encolhida na cama, decepcionada demais para pensar em fazer qualquer outra coisa.

Ouvi o motor do carro se aproximando da garagem e logo depois os passos de Donovan pela sala. Sabia que ele estava a minha procura, mas não fiz nenhum movimento que denunciasse minha localização, sustentando uma ilusória esperança de que ele não viesse até meu quarto. Não tinha nenhum ânimo para falar com ele depois do que aconteceu. Mas é claro que ele não demoraria muito para me encontrar.

— Você está aqui?

Numa atitude infantil, continuei deitada, sem responder, escondendo o rosto no travesseiro e pedindo em silêncio para que ele fosse embora.

— Carlie, está tudo bem?

Donovan se aproximou, sentando na beira da cama e não tive mais como evitar o confronto. Olhei para ele e foi o bastante para que percebesse que estive chorando.

— Ei! Por que isso agora?

— Não se faça de bobo. Você sabe muito bem.

— Está assim por causa do que fiz à tarde?

— E você acha pouco? — respondi indignada — Você ameaçou matar uma pessoa só para me testar.

— Princesa! Não acredito que pensou mesmo que eu faria isso.

Não respondi, limitando-me a virar o rosto.

— Carlie, olhe para mim. Então, depois de todo esse tempo ainda não me conhece? Aquilo era apenas um jogo. Precisava levá-la ao limite, mas você sabe que eu nunca chegaria a esse extremo com alguém inocente, só por diversão.

— Pensei que conhecesse, mas você foi muito convincente. Deixou-me assustada e furiosa.

— Carlie, eu preciso que você entenda. Serei forçado a criar situações como essa, até que aprenda a dominar suas habilidades. Se tivesse outra maneira eu faria, mas não tem.

— Ah, Don! Sei que não é sua culpa — abracei-o, encostando o rosto em seu peito — Mas não sei se estou pronta para passar por isso outra vez.

— Se eu pudesse imaginar que você passaria a tarde toda assim, teria voltado antes — ele respondeu, afagando meu cabelo — Você precisa de uma folga. Venha, levante-se! Vista alguma coisa bonita. Vou levá-la a um lugar que você vai gostar.

Donovan tinha razão. Eu precisava mesmo relaxar um pouco e o lugar que ele escolheu para aquela noite era perfeito.

Quem reparasse na pequena e discreta porta azul, perdida entre várias lojas e prédios comerciais, não poderia imaginar o que havia lá dentro. Eu mesma me surpreendi quando entramos.

Um corredor simples, com pouco mais de dois metros, decorado com fotos de frequentadores e artistas que se apresentavam na casa, conduzia a um salão iluminado apenas pelas luzes da pista de dança.

No fundo, um pequeno palco abrigava uma banda que alternava entre pop e rock da mais alta qualidade. Algumas mesas pequenas espalhadas ao redor e a direita um típico bar americano, com direito a bancos altos e um vasto cardápio de bebidas.

Passava das onze da noite e as mesas já estavam todas ocupadas, mas a casa não estava lotada, ao contrário. O ambiente era bem agradável, com gente jovem e bonita, dançando e cantando junto com a banda.

Ocupamos dois bancos junto ao bar para curtir um pouco do show e Donovan pediu um uísque.

— Quer uma taça de vinho ou um espumante, princesa?
— Prefiro o mesmo que você vai tomar.
— Você ouviu a moça — Donovan se dirigiu ao barman, um tanto surpreso com minha escolha.

As bebidas chegaram e em pouco tempo acabamos com a primeira dose.

— Mais um para mim — ele pediu ao barman.
— Também quero outro.
— É sério?

Balancei a cabeça confirmando.

— Ok! Dois então.

Antes que a segunda dose fosse servida, ele pegou minha mão e me arrastou para a pista.

— Venha! Vamos dançar.

No palco a banda tocava uma seleção de várias músicas consagradas e um grupo animado de universitários, que estavam em algum tipo de celebração, invadiu a pista. Nos misturamos a eles e dançamos por mais de meia hora. Só quando a banda parou para o intervalo, voltamos ao bar. Donovan pegou seu copo, virando-o de uma só vez e eu o imitei.

— Ei princesa! Vai devagar. Você não costuma beber assim.

— Eu sei! — respondi atrevida — Mas hoje estou de folga, esqueceu? Além do mais, tenho certeza que você vai cuidar de mim.

Dizendo isso, chamei o barman sorrindo e pedi mais dois uísques.

— Tá legal, mas o dela com soda e muito gelo — Donovan interviu, piscando para o homem do outro lado do balcão e pela cara que ele fez, ficou óbvio que ia atendê-lo.

— Está estragando toda a diversão — reclamei, fazendo beicinho.

— Digamos que eu prefira levar você para casa acordada.

As bebidas chegaram e alguns minutos depois a banda reiniciou o show, fazendo a pista voltar a encher.

— Acabo de ver uma pessoa com quem preciso falar. Tudo bem se eu te deixar aqui por um minuto?

— Não se preocupe comigo. Tenho tudo de que preciso bem a mão — respondi, erguendo o copo de uísque com soda, já pela metade.

— Ok! Já volto.

Observei Donovan se afastar, parando em frente à loura exuberante, que estava sentada com um grupo em uma das mesas. Tive a impressão de já tê-la visto em algum lugar, mas não sabia onde.

Não me detive mais que alguns segundos, perdendo completamente o interesse na mulher, pois a banda começou a tocar minha música preferida.

Larguei o copo no balcão e fui para a pista, que já estava totalmente tomada pelo grupo dos universitários. Passei por eles e ocupei o único espaço disponível a frente do palco.

Estava dançando sozinha quando senti a mão em minha cintura me puxando pelo cós do jeans. Pensei que era Donovan e não reagi imediatamente. Girei o corpo para trás, ainda dançando e me deparei com um dos rapazes do grupo.

— Seu amigo te deixou sozinha. Vem dançar com a gente.

Ele parecia inofensivo, apesar de já estar nitidamente alto pelo efeito dos drinks. Pensei em me afastar, mas algumas jovens do grupo se aproximaram de nós e quando me dei conta já estava dançando com eles.

— Eu me chamo Bruno — ele falou perto de meu ouvido — e você?

— Carlie.

— Carlie — ele repetiu meu nome, se aproximando ainda mais enquanto dançávamos — Você é muito bonita, mas já deve estar cansada de ouvir isso.

Inesperadamente, puxou uma mecha do meu cabelo, forçando meu rosto em direção ao seu. A atitude me desagradou e reagi, empurrando-o a tempo de impedir o beijo indesejado. Na mesma hora senti a mão de Donovan em meu ombro.

— Não posso deixá-la sozinha por um instante que logo aparece alguém querendo roubá-la de mim.

Donovan falou alto o suficiente para que todos os que estavam mais próximos ouvissem, inclusive Bruno, a quem fuzilou com um olhar ameaçador, não deixando dúvidas do que faria caso ele não se afastasse imediatamente.

— Desculpe cara! Não sabia que ela é sua namorada.

Envolvendo-me em um abraço, Donovan ignorou o pedido de desculpas dando as costas ao grupo e me conduzindo de volta ao bar.

— Obrigada por intervir! — agradeci, aceitando o copo que ele me oferecia.

— Não posso culpá-lo. Você é mesmo linda e fica uma delícia quando veste esse jeans justinho — ele respondeu rindo e me dirigindo um olhar malicioso.

— Don, pare com isso! Assim vai me fazer achar que a culpa foi minha.

— Longe disso, princesa! A culpa foi minha por deixá-la sozinha.

— Imagino que amanhã vamos retomar o treinamento, certo?

— Exato.

— E não vai me dar nem um desconto por todo esse uísque que acabo de consumir?

— De jeito nenhum — ele respondeu, zombando da minha tentativa de prolongar a folga.

— Então, acho melhor ir para casa. Se você quiser ficar aqui com sua amiga eu posso voltar de taxi.

— Quem? — ele perguntou, como se já não se lembrasse da mulher com quem esteve conversando na mesa.

— Ela — respondi, apontando para a loura de vestido vermelho.

— Ah! Não era nada importante. Pode esperar para outra ocasião. Agora, se já estiver pronta, podemos ir.

Hoje despertei com um perfume que há muito não sentia. Um cheiro de passado, de lembranças que minha mente até então se recusara a revelar.

Capítulo 13
Início da conspiração

— Você volta ainda hoje?
— Não sei John! É provável que só volte amanhã ou depois.
— Cuide-se! — me despedi com um beijo em seu rosto.

Encostei o pé no batente da porta. Os braços cruzados junto ao peito, observando-a enquanto se afastava até entrar no carro e dar a partida, só então entrei.

Com o passar do tempo, a aproximação com Claire se tornou inevitável e a cada dia estávamos mais íntimos. Sua presença constante já não me incomodava, ao contrário, eu me sentia cada vez mais à vontade. Chegava mesmo a estranhar quando não a tinha por perto.

Por vezes, ela se ausentava várias horas e até dias seguidos. Nessas ocasiões, os dias se tornavam mais longos e as noites enfadonhas, e eu voltava a me retrair, preso em minha solidão.

Sabia que o motivo da ausência de Claire era a missão que recebeu de Rafael, mas nunca conversei com ela sobre isso. Desperdicei muito tempo alimentando a depressão pela traição de Carlie e quando me recuperei me ocupei de meus próprios assuntos.

Claire era uma guerreira, estava acostumada a se arriscar pela causa dos anjos. Mesmo assim eu deveria ter sido mais atento. Não que ela precisasse de proteção, mas não era segredo algum que ela contava receber alguma colaboração de minha parte, e em meu egoísmo, não demonstrei interesse pelo assunto. Esse era um erro que eu pretendia corrigir assim que ela voltasse para casa.

Com tempo de sobra, minha mente traiçoeira voltou a lembrar do romance fracassado com Carlie. Agora eu conseguia perceber o quão tolo fui. Pensei que seria possível construir uma relação sólida com ela, me recusando a admitir que minha natureza jamais se moldaria a alguém daquela raça.

Vampiros eram criaturas incomuns. Obscuros demais, intensos demais. Uma raça que aprendeu a viver a beira do abismo, fadados a reações extremas e atitudes impensadas.

Não queria mais isso para minha vida. Estava decidido a retomar meu plano para alcançar a redenção e se nesse meio tempo tivesse que manter alguém ao meu lado, que fosse alguém mais adequado a minha própria natureza, como Claire.

Não sou nenhum tolo. Claro que eu sabia que ela tinha se aproveitado da situação que levou a meu rompimento com Carlie. Mas desde então, ela ficou a meu lado, se mostrando atenciosa e compreensiva. Tornou-se uma boa amiga e eu sabia que ela esperava um dia voltar a ser bem mais do que isso.

À noite, sozinho na cama, pela primeira vez meus pensamentos não me remeteram aos dias que vivi com Carlie. Ao invés disso, foi a imagem de Claire e seus longos cabelos dourados que invadiu minha mente.

Ouvi o som de seu riso alegre e senti o aroma de seu perfume, ao ser tomado pelas lembranças de nosso passado. Foi então que decidi abrir meu coração mais uma vez e dar uma chance a ela.

Claire retornou na tarde seguinte, mas eu não estava. Quando cheguei em casa, à noite, encontrei-a na sala. Usava um vestido justo azul com decote discreto e sapatos altos, forrados de tecido, que a deixavam muito elegante.

— Oi John! Estava a sua espera. Você parece cansado.

— Passei o dia fora cuidando de negócios chatos. Mas, e você? Correu tudo conforme o esperado?

— Não encontrei a pessoa que procurava, então voltei antes do previsto.

Enquanto falávamos, servi duas doses de uísque, entregando uma a ela e me sentei a seu lado.

— Parece que você está pronta para sair de novo.

— Na verdade, eu estava pensando em conhecer algum restaurante. Quer me fazer companhia no jantar?

— Bem, eu não tinha planos de sair essa noite, mas até que é uma boa ideia. Só preciso de alguns minutos.

Fui para o quarto me trocar, pensando que aquela seria uma ótima oportunidade para me inteirar sobre a missão dela e, quem sabe, falar sobre nosso futuro.

Ao voltar para a sala, peguei a chave do carro que havia deixado sobre o aparador e estendi a mão para Claire.

— Vamos?

Ela se levantou, segurando minha mão e pude observá-la melhor. Parecia mais recatada, quase reservada e ainda assim, estava linda.

Escolhi um restaurante italiano, de aparência simples, mas famoso pela comida impecável. Pedimos os pratos e um vinho para acompanhar. Claire estava mais calada que o normal. Talvez fosse apenas impressão, mas vislumbrei uma sombra de preocupação em seus olhos.

— Quer conversar sobre o que está acontecendo?

— E o que está acontecendo John?

— Me diga você. Por que Rafael mandou-a aqui?

— Talvez seja melhor não falarmos sobre isso. Sei que posso confiar em você John, mas não quero envolvê-lo em problemas. Afinal, a terra é sua casa agora e você precisa manter a harmonia com os outros que também foram banidos.

— Do que está falando, Claire? Porque essa harmonia estaria ameaçada?

— Por enquanto são apenas boatos.

— Sua missão tem a ver com os caídos. Estou certo?

— Está e é por isso que não quero colocar você no meio disso, mas a verdade é que preciso de ajuda.

— O primeiro passo é me contar o que está acontecendo. Só assim posso ver se tenho como ajudá-la.

Claire me olhou séria por um instante, antes de dizer:

— Os boatos são sobre uma nova insurgência.

Fiquei calado, processando aquela informação. Rafael não se daria ao trabalho de enviar alguém para investigar se não soubesse que o boato tinha fundamento.

— Isso já aconteceu outras vezes — arrisquei um comentário — E não deu em nada.

— É, mas dessa vez é diferente. Não estamos falando de uma rebelião no céu, mas de uma guerra que poderá acontecer aqui mesmo, na terra. Você conhece a profecia e já deve ter ouvido coisas por aí.

É claro que eu sabia a qual profecia ela estava se referindo. Todo banido conhecia aquelas palavras: *"Quando os cinco caídos o escolhido encontrar, o mundo inteiro em trevas cairá"*.

Muitos esperavam que elas fossem o prenúncio de um novo reino, comandado pelos que foram excluídos do céu e outros, como eu que buscavam a redenção, preferiam simplesmente não pensar nisso.

— Pode ser. Fala-se de muita coisa por aí, mas eu duvido que consigam fazer metade delas.

— Para nós os sinais são claros, John. Há muito tempo estamos nos preparando para essa guerra e agora que a primeira das luas sangrentas surgiu, sabemos que a hora está próxima.

Aguardei que ela prosseguisse, ouvindo atentamente.

— Hoje eu esperava encontrar uma fonte. Um banido que concordou em fornecer informações em troca de um acordo de perdão, mas ele simplesmente não apareceu e agora terei de recomeçar minha busca.

— Você sabe que não me envolvo com os assuntos deles. Se estão tramando alguma conspiração eu seria o último a saber. Mas talvez isso venha a calhar.

— No que está pensando?

— Estou cansado dessa vida, Claire. Pra mim já deu, entende? Eu quero voltar. E se Rafael acha que esse boato é sério, a ponto de oferecer um acordo para quem se propor a ajudar, posso tentar levantar algumas informações pra você.

— John, isso seria perfeito. Você poderia trabalhar diretamente comigo. Seríamos uma dupla como antes e eu posso conseguir que Rafael estenda o mesmo acordo a você. Tenho certeza que ele ficará muito feliz em fazê-lo. Você sabe que ele nunca perdeu a esperança de tê-lo de volta.

— Então, faça seus contatos e garanta o acordo com Rafael. Vou fazer um levantamento e ver o que consigo por aí.

Terminamos o jantar conversando sobre temas mais leves e não voltamos a tocar no assunto da ameaça de insurgência. Claire estava nitidamente mais tranquila e voltara a sorrir descontraidamente como antes.

No caminho para casa ela repousou a cabeça em meu ombro enquanto eu dirigia e reparei que fechou os olhos.

— Está com sono?

— Não. Estava um pouco tensa e acho que o vinho me relaxou — ela respondeu se afastando.

— Ei! Não perguntei com intenção de afastá-la. Pode ficar aqui se quiser.

Ela não disse nada. Apenas me olhou e voltou a reclinar a cabeça em meu ombro.

— Gosto quando se aproxima. Posso sentir seu perfume — comentei, afagando seu cabelo — Me traz lembranças boas.

Seguimos em silêncio e dez minutos depois estacionei o carro na frente da casa. Abri a porta, dando passagem para ela entrar na minha frente.

— Boa noite, John!

Claire se despediu com um beijo em meu rosto e logo cruzou a sala, seguindo para o corredor em direção a seu quarto.

— Espera! Quero te falar uma coisa antes.

Ela voltou me dirigindo um olhar curioso. Peguei sua mão e a conduzi ao sofá, sentando ao seu lado.

— O que foi John?

— Eu andei pensando em nós e se ainda teríamos um futuro juntos.

— John, essa brincadeira não tem a menor graça.

— Não acha estranha essa nossa relação? Você vivendo aqui, agindo como se fossemos apenas bons amigos, quando sabemos que não é assim.

— Olha, por mim está tudo bem. Você deixou bem claro que preferia deixar o passado onde está e eu respeito sua vontade. Não tem que se preocupar comigo.

— Estou falando sério, Claire. Sinto sua falta quando você sai sem dar explicação e demora a voltar. Senti falta da sua companhia esses dias. Da sua alegria, do seu riso fácil, do seu cheiro pela casa. Até me peguei pensando em você antes de dormir. E não estou falando só das lembranças do nosso passado.

— John! Não faz isso comigo. Por que isso agora?

— Talvez seja egoísmo meu, mas queria que soubesse que eu sinto falta do seu corpo junto ao meu, dos nossos corações batendo juntos, do gosto do seu beijo.

— Você sabe o que eu sinto por você. Nunca deixei de amá-lo. Eu faria tudo por você, John, mas não brinque com meus sentimentos.

— Não posso prometer que será como antes. Não sei o que vai acontecer, mas sei o quanto você significa para mim e gostaria de dar outra chance pra gente.

— Desde o momento que recebi essa missão, pensei em como seria reencontrar o amor da minha vida. Estar perto de você de novo. Apesar de tudo o que aconteceu aqui, nada apaga as lembranças do que tivemos e só eu sei como foi difícil superar a solidão depois de sua queda.

— Eu também sofri com a solidão. Durante anos senti falta de nós e principalmente de como eu era feliz com você. É complicado explicar, mas eu era uma pessoa melhor ao seu lado. Sentia-me realmente ligado a você e foi muito difícil romper esse elo.

— Eu ainda sinto isso, John. Ainda tenho essa conexão dentro de mim, mesmo estando separados.

Claire olhou direto em meus olhos e refletido em seu olhar estava o mesmo desejo que tomava conta do meu coração.

Não hesitei em tomá-la em meus braços e beijá-la. Um beijo suave, sem outra intenção que não a do sentimento mútuo que nos envolveu naquele momento.

Aos poucos, nos entregamos a emoção. Delicadamente abri o zíper de seu vestido e ela me ajudou a tirar a camisa. Não demorou muito para estarmos em sincronia como antigamente. Nada foi difícil. Era como se nunca tivéssemos nos separado.

Eu me sentia bem outra vez. Sentia que estava vivo. Claire se entregava sem rancores, com sede de ser amada e eu devolvia na mesma dose. Nossos corpos se encaixando perfeitamente, como se tivessem sido feitos um para o outro.

Tivemos uma noite incrível até cairmos exaustos, um ao lado do outro, e ali mesmo ficamos.

Pelo resto da noite, Claire dormiu sobre meu peito e eu já não pensava mais em nada do que tinha vivido antes dela voltar.

*A penumbra se perdeu no vazio.
Segurei sua mão e sob sua proteção, a luz venceu outra vez.*

Capítulo 14
O conselho

O outono se foi e com ele mais um ano, que se encerrava rapidamente. Com a chegada do inverno os treinamentos se tornaram mais rigorosos. As temperaturas abaixo de zero e o acúmulo de neve criavam barreiras naturais, que dificultavam ainda mais os exercícios e é claro que Donovan não perderia a oportunidade de me testar até o limite da exaustão.

Durante o dia, me entregava à rotina intensa imposta por ele, sem me queixar, e a noite me recolhia na sala de leitura para estudar o livro das leis.

Em algumas ocasiões, esbarrava em temas que iam de encontro a minhas convicções. Então, recorria a Donovan para esclarecer. Quando isso acontecia iniciávamos um verdadeiro debate, do qual eu raramente saía vitoriosa.

— Por mais que eu concorde com você em algumas coisas — Donovan argumentou pacientemente, pela milésima vez — Preciso lembrá-la que deve guardar essas ideias para si. Não pode usar esse discurso na presença do conselho ou com os membros mais conservadores da comunidade.

— Não dá para entender. Tudo isso me parece uma grande hipocrisia. Porque não posso expor o que penso abertamente, quando sabemos que a maioria de nós já não pratica mais esse estilo de vida?

— Porque você parece uma anarquista falando. Não vamos conseguir nada se você se comportar assim.

Donovan fez uma pausa e eu sabia o que viria a seguir.

— Princesa, você precisa entender que existe um limite para as evoluções. Adaptamos as regras porque era necessário para sobrevivermos na sociedade moderna, mas isso não muda nossa natureza.

E assim, ele encerrava mais uma discussão.

Com o passar do tempo minhas habilidades evoluíram notoriamente e quando o sol voltou a brilhar na primavera, meu desenvolvimento estava completo.

— Amanhã é o grande dia!
— Eu sei e só de pensar me sinto como um humano doente. O que vamos fazer se eles não me aceitarem?
— Relaxa! Você está pronta e se quer mesmo saber, se saiu melhor do que eu esperava.
— Está falando isso para me acalmar, mas agradeço assim mesmo.

Donovan se aproximou, envolvendo uma mecha do meu cabelo em seus dedos antes de prosseguir.

— Minha única preocupação agora é com Yuri. Nunca se sabe o que aquele velho pode estar tramando. Por isso, amanhã, tomarei algumas providências para garantir que ele não atrapalhe nossos planos. Entende?
— Entendo sua preocupação. Também não me agrada saber que vou estar cara a cara com ele de novo.
— Eu sei, mas como chefe do clã ele é membro do conselho e tenho que me certificar de que não fará nada para nos prejudicar. Agora, vamos subir! Você precisa descansar.

Na noite seguinte, pontualmente ás vinte e uma horas, entramos no palacete de Lord Bran e fui diretamente conduzida a um salão, onde os membros mais influentes do conselho já aguardavam.

Apesar do nervosismo, a apresentação foi mais fácil do que eu esperava e com o apoio de Donovan, em pouco tempo expus minhas habilidades e meu conhecimento recentemente adquirido, finalizando a primeira parte das formalidades.

— Gostaria muito de acolher sua protegida oficialmente em nossa sociedade. Uma jovem com dons tão fascinantes e ainda com tanto a desenvolver, pode mesmo se tornar uma grande aquisição.

Sem contar que é muito agradável tê-la por perto, Ma Chérie. Sua beleza é algo que não canso de apreciar — declarou Lord Bran e voltando-se para Donovan, concluiu — Seria fabuloso ver até onde ela pode chegar, Hunter. Mas uma coisa ainda não está esclarecida e sem isso acho que não podemos conceder seu pedido.

— Diga-me o que necessito ainda esclarecer, Lord Bran e o farei.

— Qual seria a natureza de sua relação com a protegida? Está claro, pela maneira como a trata, que você nutre certa afeição por ela e não pretende mantê-la como um vassalo a seus serviços. Já que não se apresentou como responsável por sua conversão e alega tê-la encontrado recém-criada, após a lamentável perda de sua família; concluímos que não existe um elo de criação que sustente seu pedido. Assim sendo, não poderá requerer sua permanência na família como uma filha. A não ser que Yuri esteja disposto a assumir a responsabilidade por sua conversão. Nesse caso, poderíamos aceitá-la em nossa sociedade como sua irmã, talvez.

Havíamos chegado a um ponto sem volta. Eu sabia que Donovan estava se comprometendo além do esperado para manter minha segurança e garantir que seguiríamos com nosso estilo de vida independente, sem o constante controle e vigilância do conselho interferindo em nossas vidas.

A essa altura, todos os olhos que já se encontravam direcionados a nós, esperavam agora ansiosamente pela resposta de Donovan e se ele não encontrasse uma maneira convincente de garantir minha permanência ao seu lado, eu seria considerada uma anarquista. Uma vampira sem clã, sem raízes, vagando solitária pelo mundo, como uma párea em nossa sociedade. Indigna da proteção do conselho.

Do outro lado da sala, Yuri não moveu um único músculo que indicasse intenção de intervir a nosso favor. Certamente ele estava adorando aquilo, já que sua última tentativa de nos atacar fracassou com a inesperada chegada de Rafael.

Para ele a exposição de Donovan perante todos os membros do conselho era uma espécie de vingança.

Tentei pensar em algo que o ajudasse a sair daquela situação embaraçosa, salvando assim sua reputação e a minha também, mas minha mente se revelou um completo vazio.

— E então, Hunter? Estamos esperando — Lord Bran pressionou.

Donovan me encarou por alguns segundos e então segurou minha mão entre as dele, voltando sua atenção para Bran. Aqueles breves segundos foram suficientes para eu saber que ele já tinha uma solução, mas o que veio a seguir surpreendeu até a mim.

— Bom, não era assim que eu imaginava fazer isso, mas vejo que não há outra maneira — e se dirigindo a mim ele completou — Desculpe princesa! Prometo que vou compensá-la por isso.

Donovan fez uma longa pausa, durante a qual, varreu com o olhar todos os presentes, antes de se dirigir novamente a Bran.

— Lord Bran, está certo em suas observações. Meus sentimentos por ela vão muito além. Não será surpresa para alguns revelar que nossa relação há muito ultrapassou os limites da amizade. Por isso, estou requerendo que Carlie siga ao meu lado como minha mulher, se ela me aceitar é claro.

Diante da surpreendente revelação de Donovan demorei algum tempo para reagir. Bran me dirigia um olhar ansioso, obviamente sem entender porque eu hesitava tanto para aceitar a ilustre condição de esposa de Donovan Hunter. Afinal, ele tinha por direito o título de Príncipe.

Bran esperava apenas pela minha resposta para que pudesse prosseguir e finalmente, dar sua aprovação para minha permanência na sociedade dos clãs. Então, me recompus, olhei para Donovan e respondi com a única coisa que poderia dizer naquele momento.

— Eu aceito.

— Maravilhoso! — Exclamou Bran — Parece que daqui a duas noites teremos, não uma, mas duas celebrações.

Certamente ele se referia a festa que Donovan organizara para comemorar meu aniversário.

Tive a sensação de que a situação saiu completamente do nosso controle e agora todos esperavam encontrar não uma festa de aniversário, mas uma comemoração oficial de nossa união, o que definitivamente nos comprometeria muito mais do que havíamos planejado. Apesar disso, Donovan permanecia impassível, como se nada daquilo fosse um problema para ele.

— Essa era minha intenção, Lord Bran, fazer uma surpresa para minha Princesa.

— E eu, por ser tão rígido, estraguei seus planos meu jovem. Que velho tolo eu fui! Mas, permita-me concertar um pouco as coisas — e acenando para duas serviçais que se encontravam no fundo da sala, ele ordenou — Tragam as taças! Precisamos fazer um brinde.

Na mesma hora as duas jovens abriram a pesada porta de carvalho maciço, que dava acesso ao salão anexo, onde se podia ver uma longa mesa, ladeada por nada menos que dezoito cadeiras de espaldar alto, estofadas de veludo vinho.

Um ambiente elegantemente decorado. Sofisticado em cada detalhe, não fosse pelos corpos dos quatro humanos desacordados, porém ainda vivos, que estavam enfileirados na parede à esquerda, em frente à mesa, presos nos punhos e tornozelos por grossas correntes de aço polido.

As duas entraram na sala de jantar e com ajuda de outros criados, abriram os pequenos cortes feitos anteriormente nos braços dos humanos, o que comprovava que, já há algum tempo, serviam de alimento aos senhores da casa.

Encheram várias taças de cristal para servir aos convidados no salão e duas grandes taças de prata, adornadas com pedras preciosas. Tão suntuosas que eu nem poderia calcular o valor.

Enquanto os demais criados circulavam pelo salão distribuindo as taças de cristal em suas bandejas de prata ornamentada, as duas jovens se aproximaram, entregando uma das taças a Lord Bran e a outra a Donovan.

Dirigi um olhar desesperado a ele, diante da expectativa de ter que beber o sangue ainda quente, coletado dos pobres homens na outra sala.

— Don, sabe que isso é totalmente contra os meus princípios — sussurrei em um tom que só ele poderia ouvir.

— Mantenha a calma! Não é tão ruim assim. Acredite, poderia ser muito pior.

— Eu não posso compactuar com isso. Não vou conseguir.

— Vai sim. Não vamos pôr tudo a perder agora, princesa. Se quiser posso te compelir e tornar mais fácil para você.

— Não! Se tenho que fazer isso quero estar consciente.

Por mais que a ideia me desagradasse, Donovan tinha razão. Se recusasse o brinde me veria forçada a explicar o motivo. Teria que expor meus valores e falar sobre consideração as vidas humanas, mesmo que aqueles homens tivessem cometido algum crime, e isso com certeza não seria visto com bons olhos pelos membros mais conservadores do conselho.

— Carlie — Donovan chamou; trazendo-me de volta a realidade — Procure pensar em outra coisa.

Estávamos no centro das imensas colunas de mármore, que sustentavam o teto sobre o salão principal do palácio de Lord Bran, que também servia de sede para as reuniões do conselho. Donovan se aproximou. A taça em sua mão à altura de nossos rostos era tudo que me separava dele.

— Imagine que estamos no B4 em São Paulo. Acabo de pedir uma garrafa de Château Petrus para nós e você não vai me deixar desperdiçar essa preciosidade.

Dizendo isso, ele sorveu um grande gole e aproximou a taça dos meus lábios, inclinando suavemente, o que me permitiu beber o mínimo necessário para agradar aos muitos pares de olhos curiosos que nos observavam.

Bran bebeu de sua própria taça e lançou um brinde aos convidados.

— Ao jovem casal e ao novo clã que poderá se iniciar com essa união! — e como Donovan continuava parado, olhando fixo em meus olhos, ele prosseguiu — Não vai beijar sua noiva?

Sem nenhum constrangimento, Donovan segurou minha nuca, aproximando os lábios com os olhos ainda fixos nos meus, enquanto enlaçava minha cintura com a mão que segurava a taça. E então, me beijou.

Foi um beijo longo, que aos olhos dos expectadores evidenciava paixão.

Minha mente dizia que era exatamente isso que todos esperavam ver, mas eu não estava pronta para o torvelinho de emoções que se sucedeu.

Talvez, por conta de toda a tensão que aquela reunião causara até agora, ou quem sabe eu estivesse mais carente do que havia imaginado, depois de descobrir a traição do anjo. Mas o fato é que me vi deslizando os braços ao redor de seu pescoço e a sensação de prazer que me invadiu, ao retribuir o beijo, foi mais forte do que eu gostaria de admitir.

As coisas não poderiam ter um desfecho melhor. Nem mesmo se fossem previamente planejadas. Finalmente o destino estava do meu lado — Donovan pensou.

O rigor com que Lord Bran comandava os clãs de todo o mundo, surpreendentemente se virou a meu favor, e agora Carlie estava irremediavelmente atada a mim. Ao menos, enquanto permanecêssemos na Dinamarca, sob os olhos controladores do conselho.

Se naquela manhã alguém dissesse que a noite terminaria assim eu não acreditaria. Mas essa era a chance que por décadas eu havia esperado.

Estava decidido. Faria uma mudança nos planos, adiando nosso retorno ao Brasil. Permaneceria na Dinamarca pelo tempo que fosse necessário, até transformar a farsa de minha união com Carlie em uma relação verdadeira.

No lado oposto, fora do círculo formado pelas quatro colunas de mármore, Yuri observava a cena, ladeado por mais cinco membros do conselho. Como todos os outros, ele acreditara na farsa, mas seus sentimentos estavam divididos.

Parte dele se alegrava, ao saber que finalmente Donovan alcançara seu objetivo. Afinal, foi por causa da paixão por aquela mulher que ele abandonou o clã, renegando suas origens e abrindo mão de sua posição junto a Among Us.

Quem sabe, agora que conquistara sua *Princesa*, ele finalmente se rendia ao bom senso e voltava a assumir seu papel de herdeiro, liderando a organização ao seu lado? Essa era uma possibilidade bem promissora, desde que Yuri acolhesse Carlie na família.

O que o preocupava era o comentário de Bran durante o brinde, sugerindo que Donovan poderia iniciar seu próprio clã, se assim desejasse. Mas Yuri não teria chegado aonde chegou sendo tolo e conhecia muito bem a ambição de seu filho.

Se Donovan decidisse iniciar um novo clã, em pouco tempo poderia se tornar um adversário incômodo para seus negócios. De qualquer forma, o melhor seria pôr em prática uma reaproximação, assim que surgisse uma oportunidade.

Meia hora depois, Donovan pediu licença para nos retirarmos. Não sem antes reiterar o convite feito a Bran para a festa, que agora tinha ganhado caráter de celebração de casamento.

Em silêncio, descemos a escadaria que conduzia ao jardim frontal do palacete e caminhamos de mãos dadas até o carro, onde um criado já aguardava, abrindo a porta prontamente ao nos avistar.

Donovan pegou a chave que ele depositou em suas mãos e logo deu a partida, demonstrando que queria se afastar dali o mais rápido possível, tanto quanto eu.

A sensação despertada pelo beijo ainda estava presente entre nós. Forte, quase palpável, criando uma espécie de desconforto. Mesmo assim, eu precisava de algumas respostas.

Decidi arriscar uma pergunta.

— E agora, o que vamos fazer?

A vontade de Donovan foi responder: vamos direto para a cama e fazemos amor até o sol nascer, e ele teria dito exatamente isso, se fosse outra e não eu sentada ao seu lado no banco do carona. Mas ele se conteve e respondeu simplesmente:

— Vamos para casa, princesa. Eu preciso de um drinque e imagino que depois de tudo que aconteceu lá dentro você queira descansar.

— Duvido que consiga. Estou tensa demais.

— Bem, sempre tem a opção de sentar ao meu lado e se embebedar um pouco — ele comentou sarcástico.

— Ah, aí está você de novo! Já estava preocupada. Pensei que o tinham substituído por um sósia lá dentro, sem que eu visse.

— Não conte com isso, princesa.

O tom de Donovan era de brincadeira, mas algo em sua expressão me deixou em alerta.

— As coisas ficaram complicadas, não é?

— Um pouco. Mas nos saímos bem.

— Sério Don, precisamos pensar em como vamos sustentar essa farsa.

— Você me conhece bem. Sabe que eu penso melhor com um copo de uísque na mão.

Durante o restante do trajeto até nossa casa nos arredores da cidade, permanecemos em silêncio, cada qual envolto em seus próprios pensamentos.

Olhe em meus olhos e me deixe desvendar os segredos de sua alma. Quero provar de seus sonhos compartilhar seus anseios, saciar minha sede no mar de desejos que transbordam de ti.

Capítulo 15
Donovan e Carlie

Donovan parou em frente ao portão de ferro, no início da alameda que conduzia a casa. Um toque no pequeno aparelho de controle remoto foi o suficiente para o portão se abrir e, dois minutos depois, ele encostou o carro em frente à entrada principal para eu descer.

— Vou estacionar e já te encontro lá dentro.
— Tudo bem — respondi, subindo os degraus para entrar.

Cruzei o hall deixando a porta entreaberta e fui direto para o sofá, que ficava junto à janela na sala de estar.

Tirei o sapato e literalmente me joguei no canto do sofá, sentando com as pernas cruzadas e abraçando uma das várias almofadas usadas para decoração. Ouvi os passos de Donovan retornando da garagem e em seguida a porta sendo fechada.

— E então, o que vai ser? Vai se fechar no quarto para dormir como uma boa menina ou me fazer companhia em uma dose?
— Uma dose e depois cama.
— Ok! Você é quem manda, princesa.

Donovan caminhou até o bar estrategicamente colocado de frente para o sofá, ao lado de uma estante repleta de livros que ocupava toda a parede, indo do chão até o teto. Alguns eram verdadeiras raridades.

—Uísque?
— Sim. Obrigada!
— Com bastante gelo e soda?
— Não! Sem soda. Preciso de algo mais forte.
— Estamos atrevidos hoje, não?

O comentário me fez rir. Eu raramente bebia algo mais forte que vinho ou champanhe. Um coquetel a base de vodca, às vezes. E meu uísque era sempre suavizado com soda.

Mas hoje, a noite foi especialmente inusitada. Primeiro a ansiedade e a expectativa pela reunião, depois o desfecho inesperado. Tudo isso fez com que eu me sentisse muito agitada e só uma bebida mais forte me faria relaxar.

— Aqui está!

Ele me entregou o copo, depois de servir um para si mesmo, e sentou-se ao meu lado no sofá, colocando minhas pernas em cima das suas. Aceitei o copo, largando a almofada no colo e reiniciei a conversa interrompida no carro minutos atrás.

— Você tem alguma ideia do que vamos fazer para sustentar essa farsa de união?

— Você ficou nervosa e a culpa foi minha. Não devia te pegar de surpresa daquele jeito, mas não tive opção. Precisava fazer alguma coisa e rápido, para garantir que você fosse aceita. Essa foi a única solução que me veio à cabeça.

— Não foi sua culpa a situação terminar assim. Hoje você se comprometeu por mim muito mais do que havíamos planejado e eu sei que isso terá um preço alto para você também.

— Desculpe ter feito você beber o sangue daqueles homens. Sei o quanto isso tudo é repugnante para você, princesa. Mas, era isso ou te expor perante todos. Apesar de muitos manterem hábitos iguais ao seu no dia a dia, ainda é comum o consumo de sangue fresco em festas ou reuniões formais, principalmente entre os mais antigos.

— Eu sei, mas não estava preparada para aquela cena. Esperava ao menos que usassem doadores voluntários. Seria menos dramático.

— Dramática é uma boa palavra para descrever a maioria dos membros do conselho. São um bando de vampiros velhos que adoram uma demonstração de força e usam tudo que tem ao alcance para garantir que permanecerão no poder. Há muito estão acostumados a punir os criminosos por suas próprias leis, sem esperar pela justiça dos humanos. Mas infelizmente, dependemos deles se queremos preservar nosso estilo de vida e seguir em paz.

— Mas e agora, Don? E quanto a nós, o que faremos? Não podemos simplesmente deixar a cidade depois da festa e voltar para São Paulo. Vai parecer que estamos fugindo. E nem podemos anunciar um rompimento sem esperar um tempo razoável, para justificar que tivemos uma relação de verdade. Talvez nem depois.

— Eu sei. Precisamos manter as aparências até que aconteça alguma outra coisa importante que desvie a atenção de nós.

— Ou seja, por agora somos o assunto do momento nas rodas sociais das melhores casas vampíricas — comentei.

Donovan riu descontraído antes de se levantar para encher nossos copos com outra dose de uísque. Apesar de tudo, era um alívio ver que ainda conseguíamos nos divertir com a situação.

— É isso aí, garota. Mas vamos cuidar de uma coisa de cada vez. Primeiro precisamos encenar nosso teatrinho para os convidados na noite da festa, depois pensamos no resto.

Don retornou ao sofá com os copos, mas no lugar do riso assumiu uma expressão solene.

— Eu tenho uma coisa para você. Mandei fazer há alguns dias, mas preferi esperar a melhor oportunidade para te dar.

Então, tirou do bolso interno do paletó um pequeno saquinho negro, mas ao invés de me entregar, ele mesmo abriu o cordão dourado que mantinha preservado seu segredo, revelando o objeto lá dentro.

— Me dê sua mão.

Estendi o braço, imaginando que tipo de joia exuberante ele teria comprado dessa vez. Mas, para minha surpresa, o que ele colocou em meu pulso não tinha nada de sofisticado, ao contrário.

Um pequeno camafeu oval, feito em ouro envelhecido e preso a uma fita de veludo preto, que ele amarrou delicadamente com um laço.

Observei o brasão desenhado em alto relevo e adornado por uma pedra vermelha, mais escura que o rubi.

— Don! É igual ao que está gravado em seu anel.

— É o brasão da nossa família. Querendo ou não, ainda pertenço ao clã de Yuri e agora você também, princesa.

— Você nunca me falou sobre isso. Aliás, nunca falou nada sobre o seu passado, sua família...

— Tem certas coisas que prefiro deixar enterradas, mas o certo é que dentro da sociedade somos um clã respeitado e temido, e temos nossos privilégios, Carlie. Eu sou um membro do conselho e agora que você foi oficialmente aceita, é importante que carregue nossa marca.

Fiquei calada. Não sabia o que responder. Na verdade eu não sabia quase nada a respeito das tradições, além do que havia aprendido para usar na reunião dessa noite, e nem podia alcançar o que isso significava realmente.

— Olhe! — ele prosseguiu — Mandei adaptar de forma que você poderá usar como quiser. Está vendo aqui? Pode colocar em uma corrente e usar como um colar, ou até prender na roupa se preferir. Mas leve sempre com você. Ele pode abrir muitas portas e te proteger.

— Não sei se entendo isso, Don. Yuri tentou nos matar uma vez, ou você já esqueceu o que aconteceu no Castelo do Anjo?

— Podemos ter nossas guerras internas, Carlie, mas só um louco se atreveria a tocar em um membro de nossa família. Ninguém quer comprar briga com Yuri e os Among Us, a não ser que o próprio Yuri ordenasse. Mas ao que tudo indica, teremos um período de paz pela frente, já que oficialmente estamos em lua de mel. E no que depender de mim, será uma lua de mel bem longa.

Rimos juntos da menção a farsa do nosso casamento.

— Bem, eu usaria de qualquer maneira. É uma joia muito bonita e muito delicada também. Obrigada! Imagino que isso significa muito para você.

— Significa que você está sob minha proteção, mesmo que eu não esteja presente, e agora todos saberão disso.

Donovan depositou um beijo suave em minha mão e se levantou.

— Ok! Agora, vamos celebrar.

— E o que temos para celebrar?

— Seu aniversário! Pensa que esqueci?

— Mas a festa é só daqui a dois dias.

— A festa sim, porque precisamos adiar para você cumprir suas obrigações com o conselho, mas já passou e muito da meia noite. Então, tecnicamente já é seu aniversário.

— Com toda essa confusão dos últimos dias eu até esqueci.

— Mas eu não.

Enquanto falava Donovan se aproximou novamente do bar, mas em vez de encher nossos copos com mais uísque, pegou o balde de gelo e separou duas taças longas de cristal.

— Fique quietinha aqui, eu já volto.

Observei, enquanto ele sumia em direção a cozinha, voltando em seguida com o balde cheio de gelo em uma das mãos e uma garrafa de Don Perignon safra 2003 na outra.

— Pronto! Aqui está.

Abriu o champanhe e o estampido da rolha me fez sorrir. Ele serviu as taças e fez um sinal para que me levantasse. Caminhei até ele e peguei uma das taças, fazendo um discreto brinde antes de beber.

Aproximando-se da estante, no lado oposto da sala, ele remexeu nos CDs, que estavam criteriosamente arrumados e selecionou um. No instante seguinte, a voz de Avril Lavigne entonando a canção I Will Be encheu o ambiente.

— Venha! — ele me pegou pela mão, depositando as taças no aparador — Dance comigo.

— Isso é mesmo necessário?

— Necessário? Eu não aceito nada menos que uma dança, princesa.

Não estava com muita disposição para dançar, mas Donovan me segurou pela cintura, me puxando para junto de si. Levantei o rosto e encontrei seu olhar, aquele olhar penetrante, que perscrutava profundamente, como se quisesse enxergar a alma de alguém através de seus olhos.

Pela primeira vez, não consegui suportar o peso de seu olhar. Baixei o rosto num impulso, reclinando a cabeça em seu peito e fui acertada em cheio pelo perfume que emanava dele. Fiquei confusa e desconcertada com minha reação.

O que estava acontecendo comigo? Aquele era o mesmo homem com quem eu convivia há várias décadas. Então, porque de uma hora para outra, eu começava a me comportar como uma adolescente perto dele?

Aquilo só podia ser culpa da bebida e do stress. Com certeza amanhã eu voltaria ao meu normal.

Continuei dançando, torcendo para que ele não percebesse meu comportamento, mas foi inútil. Donovan segurou meu queixo e me obrigou a olhá-lo.

— Qual o problema, Carlie?

— Problema? Nenhum... eu acho — balbuciei constrangida — Só que me sinto estranha. Estou mentalmente cansada, mais do que imaginava.

— Alguma coisa mudou entre nós e eu sei que você também sente isso. O coração não é um terreno neutro, princesa.

— Don, eu...

Antes que pudesse terminar a frase ele parou de se mover e me envolveu com os dois braços, deixando meu corpo ainda mais próximo. Meus olhos na altura de seu queixo.

Eu sabia o que aconteceria a seguir e sabia também que bastava dizer não e ele me soltaria, e tudo voltaria a ser como antes. Mas eu não disse nada, apenas olhei para ele e esperei, ansiosa para provar de novo do seu beijo.

Com uma lentidão quase dolorosa, Donovan baixou o rosto e foi aproximando os lábios até tocar os meus. Não me lembro de ter sido beijada com tanta suavidade e ternura até aquela noite. Então, ele voltou a se mover, ainda me beijando e seguimos dançando, totalmente entregues um ao outro.

Quando a música terminou, ele me ergueu no colo e subiu a escada. Comigo nos braços, seguiu pelo corredor, os dois em silêncio, presos por um magnetismo que dispensava palavras. Parou em frente a meu quarto e empurrou a porta com o pé.

Sem desviar o olhar, me colocou na cama e se inclinou sobre mim, iniciando outro beijo. Instintivamente, fechei os olhos.

— Carlie, olhe para mim! Posso ver cada emoção que você sente através dos seus olhos e gosto disso.

Obedeci, enquanto ele afastava meu cabelo do rosto e deslizava a mão por meu pescoço, descendo pelo ombro, afastando a alça do vestido e acompanhando o trajeto de seus dedos com os lábios ainda úmidos pelo beijo.

O toque delicado, e ao mesmo tempo tão sensual, fez meu corpo inteiro vibrar. Mas, tão forte quanto o desejo que eu sentia naquele momento, foi a insegurança que me dominou.

Eu, melhor do que ninguém conhecia o comportamento de Donovan. Sabia como ele tratava as mulheres, fossem humanas ou não. Nossa relação foi construída em bases sólidas de amizade e confiança, alimentadas por várias décadas, e eu não queria que uma atitude impulsiva destruísse o que tínhamos.

— Don, espere!

A expressão em seu rosto era de incerteza, como se estivesse avaliando se eu realmente tinha dito aquilo ou era fruto de sua imaginação.

— O que houve princesa?

— Não sei se posso fazer isso — respondi insegura.

Instantaneamente ele me soltou, erguendo o corpo e me observando, a espera de uma explicação.

— Você tem razão, alguma coisa mudou entre nós, mas não sei exatamente o que é. Estou confusa, Don. Tenho medo de despertar amanhã e descobrir que cometemos um erro.

Ele não respondeu. Simplesmente levantou e saiu do quarto.

Eu podia ter dito algo para detê-lo ou ter me levantado, ido atrás dele, mas não fiz uma coisa nem outra. Fiquei ali, parada, observando enquanto ele fechava a porta atrás de si.

Senti todo meu corpo queimar por dentro, implorando para retomar de onde tínhamos parado.

Não consegui dormir. Rolei na cama pelo resto da madrugada pensando no que quase tinha acontecido, até que os primeiros raios de sol brilharam, invadindo o quarto através da janela.

Ainda usava o mesmo vestido da noite passada, quando me enchi de coragem e saí da cama.

Fui até o quarto de Donovan e, como de costume, dei duas batidinhas na porta antes de entrar.

— Carlie, o que faz aqui?

Abri a porta e entrei, esperando encontrá-lo ainda na cama, mas para minha surpresa, Donovan estava saindo do closet com o cabelo molhado do banho e todo arrumado.

— Você vai sair?

— É o que parece.

— Don, precisamos conversar.

— Imagino que sim, mas vamos ter que esperar. Eu preciso resolver alguns assuntos antes da festa.

— Mas Don, o que aconteceu essa noite... Bem, eu estava enganada.

— Tudo bem, princesa! Podemos ter essa conversa quando eu voltar, só não leve tudo tão a sério, ok? Agora preciso mesmo ir ou vou me atrasar.

Ele havia voltado a se comportar como antes, como se nada tivesse acontecido. Ao passar por mim, deu um beijo fraternal em minha testa e saiu me deixando sozinha no meio do quarto.

Então era isso? Eu não deveria levar a sério? Será que o que aconteceu era assim tão insignificante pra ele?

Voltei para o meu quarto, dividida entre o sentimento de rejeição e a raiva de mim mesma, por ter sido tão estúpida a ponto de pensar que seria diferente. Afinal, eu o conhecia muito bem.

Onde eu estava com a cabeça quando permiti que as coisas chegassem a esse ponto?

Estava agitada demais para voltar para a cama. Tomei uma ducha, vesti uma legging e uma camiseta, calcei o tênis e corri para o bosque. Precisava gastar um pouco de energia até acalmar aquela confusão de sentimentos.

Corri por entre as árvores o mais rápido que pude, como fazia durante os treinamentos, tentando prestar atenção nos detalhes da mata a minha volta.

Subi a encosta até chegar à ravina e só então, parei.

Observei o traçado desenhado pelo riacho, que serpenteava mais abaixo, descendo o bosque até chegar bem próximo da nossa propriedade, onde formava um pequeno lago.

O esforço do exercício, combinado com aquela paisagem tranquila, ajudou a colocar meus pensamentos em ordem.

Deitei na relva e fechei os olhos, sentindo a brisa leve soprar em meu rosto e me permitindo ficar assim por algum tempo. Não queria pensar em nada, apenas desfrutar a paz que só um lugar como aquele poderia oferecer.

Despertei assustada e levei alguns segundos até lembrar onde estava, e como havia chegado lá.

Comecei a descer a montanha, mas ao invés correr em disparada, voltei caminhando normalmente, como faziam os turistas que se aventuravam por aquela região. As horas passaram sem que eu me dessa conta e quando finalmente cheguei a casa já eram mais de duas da tarde.

Procurei por Donovan no escritório, mas ele não estava. Fui até seu quarto, imaginando que talvez o encontrasse por lá, mas não havia nenhum sinal dele.

Desisti de procurar. Na certa ainda estava tratando de algum assunto referente aos preparativos da festa ou reunido com seus amigos, falando sobre negócios.

Depois de todo aquele exercício eu precisava de um banho. Entrei em meu quarto, abri a torneira e deixei a água fria correr livremente. Enquanto esperava até que a banheira estivesse completamente cheia, voltei e separei as peças de roupa que pretendia usar. Foi quando vi o envelope cinza, estrategicamente colocado no meio da cama, como para ter certeza de que eu o encontraria.

Peguei o envelope e mesmo antes de abrir já sabia que tinha sido deixado ali por ele.

Custei a acreditar no que estava escrito.

"Preciso me ausentar, mas já tomei todas as providências para a festa. Você não tem com que se preocupar. Receba os empregados que chegarão amanhã cedo e mostre a eles o lugar. Eles já sabem o que devem fazer."

DH

Então, era assim que seria daqui pra frente?

Pois bem! Se Donovan Hunter pretende jogar esse jogo, eu mostrarei a ele que sou perfeitamente capaz de fazer o mesmo.

O perigo descansa ao lado, sorrateiro, aguardando um momento de descuido. Mas a ilusão é inimiga da previdência e turva os olhos daquele que não quer aceitar seu destino.

Capítulo 16
Investigando a insurgência

Os meses se passavam rápido e minha vida tomava um rumo totalmente diferente do que havia planejado. Ainda pensava em Carlie. Lembrava de seu perfume delicado, sua voz suave, seu sorriso...

Por vezes, chegava mesmo a sentir sua falta, principalmente quando Claire se ausentava. Mas a lembrança já não doía tanto quanto antes. Ainda assim, não me sentia preparado para vê-la com Donovan. Por sorte não voltei a cruzar seu caminho.

Com o tempo, consegui me entender com Claire, sentindo-me mais confortável em nossa relação.

Acordava todos os dias com ela a meu lado. Várias vezes a surpreendia me observando dormir e quando abria os olhos, era sempre recebido com um sorriso e um *bom dia*, sussurrado suavemente em meus ouvidos. Com isso, criamos uma rotina que raramente era quebrada.

Claire se levantava e saía do quarto, enquanto isso eu tomava uma ducha e me vestia. Quando entrava na cozinha, ela já estava a minha espera com o café da manhã pronto. Trocávamos carinhos e um beijo, antes que ela voltasse para o quarto e se arrumasse. Então, saíamos em busca de mais informações que pudessem ser úteis para a missão.

Ela ainda sumia de vez em quando, retornando apenas no dia seguinte, e quando eu questionava, Claire alegava que não tinha autorização para expor todos os detalhes, o que eu compreendia. Mas desde que aceitei o acordo com Rafael, essas ocasiões se tornaram pouco frequentes.

Nossas tardes eram tranquilas. Às vezes, fazíamos piqueniques ao ar livre e nunca voltávamos antes do pôr do sol. À noite, andávamos de bicicleta pelo Ibirapuera ou simplesmente sentávamos próximo ao lago, de mãos dadas. Nessas ocasiões, Claire colocava a cabeça em meu colo e eu acariciava seu cabelo dourado.

As noites de balada se tornaram cada vez mais raras e quando o clima impedia nossos passeios, abríamos uma garrafa de vinho, colocávamos uma musica para tocar e ficávamos dançando na sala.

— É tão bom ter você nos meus braços nas noites de chuva!

— Essas são minhas noites preferidas, John.

Minhas metas agora eram outras. Tinha apenas dois objetivos em mente: fazer de Claire a mulher mais feliz do mundo e me dedicar à missão, para um dia conseguir minha redenção e poder voltar com ela para o céu. Mas a verdade é que pouco evoluímos em nossa busca por fatos que confirmassem os boatos de uma nova insurgência.

Durante as últimas décadas, me mantive afastado da maioria dos caídos, que há muito perderam a esperança e renegaram qualquer possibilidade de retornar, entregando-se de vez aos vícios e prazeres da vida na terra. Assim, era muito difícil que me aceitassem entre eles agora, ou que compartilhassem seus planos e segredos comigo.

— John! Recebi um novo contato. Parece que dessa vez temos uma chance de descobrir algo concreto.

— Essa é uma ótima notícia — respondi, parando de dançar — Vamos sentar e terminar nosso vinho enquanto você me explica tudo.

Completei nossas taças com o vinho que estava sobre a mesa e me juntei a Claire, que já havia se acomodado no sofá.

— E então? De onde veio essa informação?

— Sabe que não posso te dar detalhes, mas o fato é que meu contato informou sobre um caído que estaria disposto a falar. Ele propôs fornecer a confirmação que precisamos em troca é claro, de uma garantia de acordo, assim como você.

— E você acha que dessa vez não é só mais um truque para nos confundir?

— Tenho motivos para crer que não.

— E quando vamos encontrar essa pessoa?

— Esse é o problema. Ele não está aqui.

Recuei, olhando para ela, tentando imaginar todas as possibilidades do que aquele comentário poderia significar.

Basicamente, existem três tipos de banidos. Os que têm esperança de alcançar a redenção e regressar, assim como eu; os que se uniram ao inimigo, e os recém-chegados, que ainda estão muito assustados e confusos com a queda para definir que posição vão assumir no jogo.

Claire percebeu minha reação e tratou de explicar.

— Não é isso que você está pensando, John. Ele não está aqui no Brasil. Está na Europa. Mais precisamente, na Antuérpia.

— Bem — fiz uma pausa analisando a situação — Não tinha planos de sair de São Paulo agora, mas acho que não temos escolha. Devemos ir até a Bélgica e conferir.

— Está falando sério? Você vem mesmo comigo?

— Temos um acordo, não temos? Não vou deixá-la viajar sozinha para encontrar alguém que pode ou não estar preparando uma armadilha.

— Se é assim, vou agendar um encontro e tomar todas as providências para nossa viagem.

Uma semana depois desembarcamos no aeroporto de Bruxelas e de lá, tomamos o trem para Antuérpia. Não por acaso nos hospedamos no Keyser Hotel, que ficava próximo à estação central, o que nos permitia caminhar até o local onde deveríamos encontrar o banido para uma conversa.

Minha maior preocupação era com nossa segurança e seguindo minhas instruções, Claire marcou o encontro para às três da tarde em um local público. Uma pequena brasserie, localizada nas proximidades da Rua Meir.

Depois de nos instalarmos, deixei Claire no hotel e fui até as proximidades do ponto de encontro fazer uma inspeção. Queria ter certeza de que estaríamos no controle da situação, caso se tratasse de uma emboscada.

— John, está tudo bem?

— Aparentemente sim, mas nunca é demais prevenir.

— Acho que você está exagerando um pouco, amor. Tem alguma outra coisa te preocupando. O que é?

— Você não deixa passar nada, mas está certa. Depois daquela batalha em nova Orleans, percebi que meus poderes estão enfraquecidos. Falta de prática, eu acho.

— Não me parece que isso seja possível. Ao menos, não pelo que vi quando chegamos lá.

— Sei que ainda posso dar conta de uma boa briga, mas a verdade é que me sinto mais lento. Preciso me exercitar. Talvez, em outra ocasião, Rafael não apareça para interceder por mim.

— Entendo! Se é o que você quer posso ajudá-lo. Podemos nos exercitar juntos, quando voltarmos para São Paulo. Dispomos de bastante espaço e privacidade para isso.

— Certo, mas agora precisamos nos apressar. São quase duas da tarde.

Após um lanche rápido no hotel, saímos em direção a Rua Meir para encontrar nosso contato misterioso, que forneceria as informações necessárias para desmantelar a conspiração dos caídos.

Faltavam quinze minutos para às três quando entramos na brasserie. Àquela hora do dia o lugar ainda estava vazio, com poucos clientes, que certamente não se demorariam mais do que o tempo de uma cerveja.

Escolhemos uma mesa de canto, afastada da entrada, onde se concentravam os poucos presentes no recinto. Mas não muito ao fundo, de modo que nos permitisse sair rapidamente se fosse necessário.

Pedi duas cervejas para disfarçar e aguardamos. Os primeiros vinte minutos passaram rapidamente, mas nada aconteceu.

— Nosso banido está atrasado.

— John, tenha um pouco de paciência. Provavelmente ele está mais nervoso do que nós com essa situação.

— Tem que estar mesmo. Afinal, se tudo isso for verdade, ele está prestes a trair os mestres na arte da traição.

— Peça outra cerveja e vamos esperar mais um pouco.

— Nada disso, senhorita! Não vamos esquecer o motivo pelo qual estamos aqui.

Chamei o garçom e pedi dois refrigerantes e uma porção de mexilhões com aipo, um aperitivo típico da região. Meia hora depois minha paciência havia se esgotado.

— Vamos para o hotel. Ele não vem. Desistiu. Deve estar se borrando de medo.

— Era nossa melhor chance, John. Sem ele, teremos que começar tudo de novo. Voltamos à estaca zero.

— Eu sei Claire, mas ficar aqui o resto do dia não vai mudar o fato.

Retornamos ao hotel e para nossa surpresa, havia um recado na recepção. Claire pegou o envelope das mãos do recepcionista e fomos direto para o quarto.

— E então? O que diz aí?

— Que estávamos sendo vigiados o tempo todo — ela respondeu, entregando o bilhete para que eu mesmo conferisse.

"Você veio acompanhada de um caído. Isso não estava no trato. O que ele faz aqui? Se quiser continuar com isso, deixe um recado na recepção pela manhã. Use o mesmo envelope e saia para passear. Não volte antes do meio dia ou o trato estará desfeito."

— Não tem assinatura. Nosso amigo está mesmo muito assustado.

— John, ele deve ter caído há pouco tempo. Não se sente seguro para confiar em ninguém.

— Ao menos, isso esclarece a primeira questão. Mas nos traz outro problema. Se é um recém-chegado, como teve acesso as informações que precisamos?

— Vamos ter que esperar para descobrir.

Chamei o número da recepção para saber quem havia deixado o bilhete, mas como já esperava, a informação se mostrou inútil.

Sem opção, ajudei Claire a preparar uma resposta que justificasse minha presença sem assustar ainda mais o nosso contato, que se tornava cada vez mais misterioso, e passamos o resto da tarde preparando um pequeno roteiro pela parte histórica da cidade, que com certeza ocuparia toda a manhã seguinte.

Por cautela, optamos em não sair, passando a noite ali mesmo no hotel com uma boa garrafa de vinho, torradas e queijos. Não fosse pela circunstância, essa poderia ser uma viagem bem romântica.

Na manhã seguinte, seguimos as instruções e devolvemos o envelope à recepção bem cedo, antes de sair para nosso passeio pelo centro histórico.

Passamos pelo distrito dos diamantes e seguimos pela De Keyserlei até a Meir. Como não poderia deixar de ser, Claire fez algumas paradas para comprar *umas coisinhas*, que ela insistiu em dizer que precisava.

— Não sei como você consegue fazer compras na atual circunstância.

— Ora, John! Temos que nos ocupar por toda manhã, não é? Então, que diferença faz onde gastamos o tempo?

— Mulheres! — respondi, perdendo a esperança de tirá-la da loja.

Depois disso, caminhamos despreocupados em direção ao centro histórico, parando para apreciar a Catedral, a fonte de Brabo e o Castelo Steen.

— Já passa das onze. Podemos parar em um café e depois voltar. Se caminharmos devagar chegaremos ao hotel após o meio dia.

— Um café é uma ótima ideia. Já estou com fome.

— Então venha, amor! Vamos comer alguma coisa.

Fizemos um lanche com calma e retornamos ao hotel pouco antes de uma da tarde. Como esperávamos, o envelope havia sido retirado, dessa vez por um menino de aproximadamente dez anos, segundo informação do recepcionista.

— E não tem nenhum recado?

— Não senhor! — declarou o jovem do outro lado do balcão.

— Obrigado! Estarei no quarto. Avise-me se chegar algum — Respondi, puxando Claire pela mão em direção ao elevador.

— E agora, John?

— Agora esperamos uma resposta e se não recebermos nenhuma até a noite, nos preparamos para voltar a São Paulo amanhã cedo. Mas até lá, eu tenho algumas ideias de como podemos passar esse tempo.

— Hum! E será que eu vou gostar?

— Você vai adorar — respondi, encostando-a contra a parede do elevador enquanto a beijava.

No início da noite o telefone do quarto tocou e fomos avisados que alguém deixou um recado na recepção.

— Fique aqui mesmo onde está. Eu vou buscar e volto em um minuto.

Interroguei o funcionário da recepção sobre a entrega do novo envelope, mas como antes, ele não tinha nenhuma informação que pudesse ser útil.

Voltei para o quarto, mas dessa vez eu mesmo abri o envelope e li seu conteúdo. Lá dentro havia o endereço de um apartamento na Rua Romersgade e um recado que dizia para nos instalarmos lá e aguardarmos por algumas semanas até recebermos novas instruções.

— Não estou gostando nada disso, Claire.

— Mas se voltarmos para São Paulo agora, não teremos nada John. Não vejo outra saída, a não ser fazer o que ele quer.

— Semanas Claire! Não podemos perder tanto tempo sem saber se isso realmente nos levará a uma informação concreta. Além do mais, esse endereço fica na Dinamarca.

— Eu sei! Conheço o lugar. Já usei como casa segura em outra missão.

— Isso só piora tudo. Não está vendo? Isso não é coisa de recém-chegado ou ele nem saberia da existência desse lugar.

— E o que sugere que façamos? — Claire me interrogou com um olhar sério — John, você tem me ajudado a seguir com a missão, mas a verdade é que até agora não conseguimos nada. Caminhamos em círculos, atrás de pistas que possam nos levar aos caídos e nos ajudar com a profecia. Não podemos voltar sem respostas. E começar uma nova investigação levaria meses. Esperar algumas semanas ainda me parece a melhor opção.

Apesar daquela situação não me agradar, Claire tinha razão. Voltar para São Paulo agora significaria perder vários meses de trabalho e ter que reiniciar toda a investigação do zero.

Sem alternativa, organizamos nossas coisas para retornar a Bruxelas no primeiro trem da manhã e tomar um voo para a Dinamarca.

E ela se rendeu, encantada pela grandeza daquele amor, que invadiu sua alma, fez de seu coração um jardim e encheu sua vida de alegria e cor.

Capítulo 17
Os preparativos

Na manhã seguinte, por volta de dez horas, os empregados contratados por Donovan para cuidar do buffet e da organização da festa começaram a chegar, conforme ele havia prometido.

Eram todos humanos, certamente acostumados a trabalhar para gente como nós. Nenhum deles fez qualquer menção ou demostrou receio pelo fato de estarem em uma casa que, dentro de algumas horas, estaria repleta de vampiros.

Mostrei a cozinha para as três mulheres que imediatamente, iniciaram a tarefa de preparar um banquete para nada menos que duzentos e cinquenta pessoas, entre humanos e vampiros.

Donovan havia contratado o aluguel de uma enorme tenda, onde seriam montadas mesas para acomodar aquela quantidade de convidados, e outra menor que serviria de pista de dança, já que nossa linda sala estava sendo transformada em um elegante lounge.

Um rapaz, de aproximadamente vinte anos, esperava pacientemente encostado ao batente da porta, até que eu mostrasse o local onde as tendas deveriam ser armadas.

— Vai ser uma festa daquelas — ele comentou, deixando transparecer que adoraria participar.

— Acredite! Eu trocaria de lugar com você só para não precisar estar nela— retruquei amarga.

Em minha opinião aquilo tudo era um exagero. Mas o que importava a minha opinião, não é mesmo? A essa altura, só me restava cuidar para que todas as extravagâncias do senhor *"vamos curtir a vida"* estivessem de acordo com o que ele queria, quando ele se desse ao trabalho de voltar para casa, o que pelo jeito só aconteceria alguns minutos antes daquela maldita festa começar.

Eu estava realmente nervosa. Tínhamos combinado que seria uma reunião pequena, apenas para os membros mais influentes da sociedade, para ter certeza de que nosso teatrinho seria aceito como verdade por todos. Mas Donovan, ao que parece, desconhecia o significado da palavra *pequena*.

Precisava fazer alguma coisa para me acalmar ou estaria fora de controle muito antes do fim da noite. Então, me lembrei de Marisa, a terapeuta que tinha mãos de anjo e sabia como ninguém acabar com nódulos de tensão.

Era disso que eu precisava. Procurei a agenda e encontrei o telefone dela. Marquei uma hora para o meio da tarde, quando seguramente eu já estaria livre, e conformada, passei o resto da manhã dando atenção a conferência dos itens que eram descarregados de um caminhão para serem usados durante a noite.

Caixas e mais caixas de uísque, vinhos e champanhes de vários tipos, mesas, cadeiras, louças, taças de cristal, castiçais, toalhas, tapeçarias e flores. Flores?

Eram tantas que me senti enjoada. Rosas negras, importadas da Turquia, extremamente raras e que com certeza custaram uma pequena fortuna, eram retiradas em profusão de um furgão refrigerado. Assim como as vermelhas, que eram cuidadosamente arrumadas em grandes jarras de cristal.

As negras eram levadas direto para o interior da casa, enquanto as vermelhas eram espalhadas pelo jardim. Quando me dei conta elas estavam por toda parte. Por cima dos aparadores, dos móveis, das mesas, transformando todo o ambiente em uma versão dark de festa da rosa.

Diante daquela extravagância, fui invadida por um sádico desejo de matar Donovan Hunter com minhas próprias mãos. Mas, infelizmente ele não estava por perto e tive que me contentar chamando a atenção de alguns empregados, que vinham da parte de trás, onde estava sendo montada a tenda menor, e entravam pela porta da frente com os pés sujos de terra do quintal, deixando marcas nos degraus de mármore branco.

Minha paciência estava chegando a um limite perigoso. Ele armara todo aquele circo. Era ele quem deveria estar aqui supervisionando tudo.

Peguei o celular que estava no bolso do jeans e chamei o número de Donovan, pronta para descarregar toda minha frustação antes mesmo que ele tivesse a chance de dizer *Alô*, mas a única coisa que ouvi foi o sinal insistente da chamada, seguido da gravação na secretária eletrônica.

Antes que tivesse oportunidade de pensar sobre o fato dele não atender o maldito telefone, minha atenção foi desviada para outro furgão que se aproximava pela alameda.

O que seria dessa vez? Será que já não tínhamos o bastante?

— A senhorita Carlie Marie está?

— Sou eu mesma.

— Tenho uma encomenda para a senhorita. Assine aqui, por favor.

Rabisquei uma rubrica no papel e recebi a caixa das mãos do entregador, que imediatamente voltou para o furgão e partiu.

Aquela certamente não era mais uma das entregas para a festa. Era pessoal e veio acompanhada de um envelope com meu nome. Na mesma hora reconheci a letra de Donovan.

Como não sabia qual o conteúdo do pacote, entrei em casa e só abri a caixa quando estava na segurança de meu quarto.

Dentro havia um longo vestido preto, confeccionado em uma seda muito macia. Uma fenda, na lateral esquerda, subia até a altura da coxa e uma fina alça era a única coisa responsável por sustentar o vestido, prendendo-o ao pescoço. Nas costas, um profundo decote, descia bem além da linha da cintura.

Guardei o vestido de volta na caixa e abri o envelope. Dentro havia um cartão que dizia apenas:

"Use com os brincos de Safira. Vão realçar seus olhos."
DH

Larguei o cartão na cama sobre a caixa e saí. De jeito nenhum eu usaria aquilo. Eu já havia providenciado o que vestir naquela noite.

O que ele estava pensando afinal?

Alcancei a base da escada e quase trombei com Marisa que já havia chegado. Olhei para o relógio na parede e constatei que passava das quinze horas. O dia estava voando sem que eu percebesse.

Marisa perguntou se podia ir para meu quarto preparar o ambiente para iniciar a seção, mas eu precisava de um pouco de tranquilidade, de preferência onde não estivesse tão próxima da movimentação dos empregados. Decidi que o melhor lugar seria o SPA e nos dirigimos para lá.

Tirei a roupa e deitei na maca.

— Você parece tão tensa hoje, Carlie. Acho que nunca te vi assim.

— Ai, Marisa. Ele está me deixando louca com tudo isso — respondi sem pensar.

— Quem? Seu irmão?

— Não! Quer dizer, sim. Mas ele não é meu irmão. Ele é... meu noivo.

— Desculpe a minha confusão. Eu não podia imaginar.

Claro que ela não imaginava. Como poderia? Era mais uma das muitas mulheres que ficavam abobalhadas, sempre que se viam na presença ofuscante do charmoso Donovan Hunter.

Tentei não pensar naquilo e relaxar, enquanto Marisa começava a massagear minhas pernas. Talvez, depois da massagem, eu pudesse passar algum tempo dentro do ofuror.

A ideia me agradou de imediato e fez meu ânimo melhorar um pouco.

Estava deitada de bruços na mesa de massagem. Marisa pressionava um ponto bem no meio das minhas costas, quando senti os passos se aproximando na grama. Eu não podia vê-lo, mas sabia que era ele.

Donovan se aproximou em silêncio e fez um sinal para a mulher, que imediatamente obedeceu, saindo sem dizer uma só palavra.

Continuei deitada na mesma posição, enquanto ele se aproximou e começou ele mesmo a me massagear, traçando uma linha que ia da altura do pescoço até um pouco abaixo da minha cintura.

— Tentei te ligar mais cedo, mas você não atendeu nem retornou minha chamada.

— Não era preciso, eu já estava voltando — então, ele fez uma pausa antes de perguntar — Em que momento percebeu minha presença?

— Desde o primeiro segundo, quando passou direto pela casa sem entrar, mas só tive certeza de que era você quando pegou o caminho do SPA.

— Está ficando boa nisso, princesa.

— Com os treinamentos, a cada dia fica mais fácil.

— Recebeu minha encomenda?

— Se está falando daquele pedaço de seda disfarçado de vestido, recebi sim.

— Gostaria de vê-la usando ele essa noite.

— Don, eu não poderia usar aquele vestido nem que fosse uma festa privada, só para nós dois.

— Qual o problema com o vestido?

— Sinceramente, Donovan Hunter? O problema é que até minha alma vai ficar vermelha de vergonha dentro dele.

— Está enganada de novo, princesa. Você é a única mulher que conheço que tem a classe necessária para sustentar um vestido como aquele. Certamente não terá nada de vulgar e ficará lindo em você.

— Vai me dizer por que me deixou sozinha aqui por dois dias?

— Pode ser, mas essa conversa vai ter que ficar para depois. Em poucas horas isso aqui vai estar cheio de convidados e temos que nos preparar para encenar nosso teatro.

— Temos muito tempo ainda.

— Você está ocupada e eu preciso cuidar dos últimos detalhes. Só passei aqui para dizer que já estou de volta. Agora preciso ir.

Aquela atitude era muito estranha, mas se Donovan pensava que eu o deixaria sair assim, sem dar uma explicação, estava muito enganado.

Levantei a cabeça para olhá-lo, cobrindo os seios com a mão e imediatamente ele se afastou.

— Não se vire. Fique aí mesmo onde está. Já estou saindo.

— Don, espere! — pedi, segurando a mão dele antes que se fosse.

— Eu preciso ir. Nem devia ter entrado com você assim. Vir aqui foi um erro! Pensei que pudesse, mas não dá.

A expressão que surgiu em seu rosto, uma mistura de repulsa e dor, me deixou confusa e só serviu para aumentar minha insegurança.

Eu precisava dizer alguma coisa ou ele sumiria de novo, e só apareceria na hora da festa. Então, me enchi de coragem e tentei mais uma vez.

— Don! Eu preciso saber.

— Quer mesmo saber por que passei esses dias fora? — e sem esperar resposta ele continuou — Você está me deixando louco! Por acaso sabe o que eu tenho vontade de fazer agora? Quero fazer amor com você aqui mesmo, Carlie. Exaustivamente. Até que você se renda e admita que também sente o mesmo que eu. Satisfeita? Acho que agora você entende. Então, por favor, solte minha mão.

Soltei a mão dele e fiquei ali, perplexa, enquanto Donovan cruzou como um raio a extensão do gramado, sumindo dentro da casa.

Continuei ouvindo quando ele entrou no hall, pisando duro até a sala. Dois segundos depois e o barulho de uma garrafa quebrando me deu a exata noção de seu estado de ânimo.

— Maldita seja! Ela está acabando com minha paz, mas vou resolver isso agora.

Donovan gritou tão alto, que mesmo se eu fosse humana teria escutado.

Vesti o roupão que estava pendurado ao lado da mesa de massagem e saí caminhando em direção ao bosque.

Do mesmo modo que entrou em casa ele saiu novamente, tão rápido, que mesmo ouvindo sua aproximação, me assustei quando segurou meu braço.

— Onde você pensa que vai?

— Eu... Só ia andar um pouco.

— Venha cá, mulher!

O beijo que se seguiu não foi suave, nem doce, mas cheio de urgência e uma paixão devastadora. Donovan agarrou meu braço e praticamente me arrastou, fazendo o trajeto de volta até a porta.

— Você está me assustando.

— Não é essa a minha intenção, princesa. Você queria tanto ter essa conversa, não é mesmo?

— Eu quero conversar, Don, mas não assim.

Nada que eu dissesse o faria mudar de ideia. Tive certeza disso quando ele seguiu me arrastando e foi direto para o quarto, fechando a porta depois que entramos.

— Pronto! Aqui estamos. Agora pode falar. Você tem dois minutos antes que eu comece a te beijar de novo.

Fiquei sentada na cama pensando por onde começaria, sentindo as mãos de Donovan passeando pelo meu rosto, descendo até o ombro e retornando ao pescoço.

Aquilo não era justo. Eu não conseguia pensar direito com ele me tocando e ele devia saber disso, porque estava sorrindo.

— Seu tempo está se esgotando.

— Então, comece você, me dizendo por que partiu daquele jeito.

— Você já sabe. Tinha negócios para resolver.

— Não me venha com essa, Donovan. Não sou tão boba assim para acreditar nisso. Eu quero saber a verdade.

— Você me rejeitou, lembra? Eu precisava de um tempo. Pensei que poderíamos retomar as coisas como eram antes daquela noite. Era isso que você queria me dizer quando entrou no meu quarto pela manhã, não era?

Fiquei surpresa com aquela revelação. Então ele pensou que eu estava arrependida por quase ter feito amor com ele?

— Não! Não era.

— Mas você falou que estava enganada e precisava conversar sobre isso.

— É verdade. Eu disse isso. Mas você não me deixou explicar. Eu cometi um erro, Don. Um erro enorme, quando deixei você sair daquele jeito.

Donovan me perscrutava com o olhar, absorvendo cada palavra que eu dizia com atenção.

— Eu estava confusa, insegura. Sempre tive você em minha vida como meu único amigo. Por séculos você foi minha única família. Fiquei com medo de estragar nossa relação, me entregando a um desejo impulsivo. Mas quando você saiu e me deixou sozinha na cama, percebi o erro que tinha cometido. Então, eu esperei e quando finalmente criei coragem para ir ao seu quarto, você me tratou como se nada daquilo tivesse importância, dizendo que eu não deveria levar as coisas tão a sério.

— E você achou que era só mais um passa tempo, depois de algumas doses de uísque.

— Mais ou menos isso... Sim. Foi assim que me senti. E quando voltei para casa à tarde e encontrei seu bilhete tive certeza.

— Princesa! Você é a única mulher com quem eu poderia passar o resto da eternidade sem me cansar. Será que não percebeu isso ainda?

— Don, eu...

— Você já falou demais. Seu tempo acabou.

Donovan me calou com um beijo ardente, me recostando na cama enquanto desatava o nó do roupão e deslizava as mãos por dentro do tecido.

— Você estava lá fora completamente nua, mulher! — falou em tom de reprovação, mas a descoberta da minha nudez aumentou ainda mais seu desejo — Me lembre de conversarmos sobre isso depois. Teremos algumas regras sobre seus hábitos daqui pra frente.

Concordei com a cabeça enquanto ele despia o resto do roupão que ainda cobria parte de meu corpo, deslizando a mão suavemente por meus seios. A sensação era indescritível, como se ele tocasse cada centímetro de minha pele ao mesmo tempo.

Eu queria tocá-lo, tirar a camisa que ele continuava usando, sentir o contato de sua pele na minha, mas ele não deixou. Agarrou minhas mãos pelos pulsos e prendeu no alto da minha cabeça, enquanto com a mão livre continuou a traçar um caminho que descia pelo abdômen, deslizando por minhas coxas e evitando propositalmente a parte onde eu mais desejava ser tocada.

— Don — pronunciei em um gemido.

— Shi! Fique quietinha.

Ele intensificou sua deliciosa tortura, seguindo com os lábios o caminho que traçara antes com a mão, revezando entre beijos e pequenas mordidas, me fazendo gemer num frenesi quase enlouquecedor. Àquela altura eu já tinha perdido completamente a noção do mundo lá fora e tudo que queria era senti-lo dentro de mim, antes que eu explodisse de prazer. Mas ele não estava disposto a facilitar as coisas.

Senti a humidade de sua língua roçar a parte interna da minha coxa e instintivamente ergui o quadril. Fechei os olhos, imaginando quanto mais eu poderia suportar daquilo, antes de perder totalmente o controle, e a resposta veio em forma de uma chama, ardendo, me consumindo inteira por dentro, até que não pude mais controlar e me rendi, agarrando seu cabelo, gemendo, gritando.

Quando abri os olhos, o encontrei me fitando. Um sorriso de satisfação brotando em seus lábios.

— Você fica ainda mais linda assim e eu estou louco para descobrir o que mais tem guardado para mim.

Donovan se ergueu, ficando de joelhos na cama sobre mim e pude devorá-lo com os olhos enquanto ele se despia. Primeiro a camisa, depois o cinto e finalmente a calça.

Eu queria ficar ali, observando avidamente aquele corpo escultural, que agora era todinho meu. Beijar seu peito, acariciar os músculos dos seus braços, mas nada disso foi possível.

Ele me ergueu apenas alguns centímetros, girando meu corpo e me colocando de volta na cama, de costas para ele. Senti seu corpo descer sobre o meu, e sua mão me tocar da forma mais íntima, me preparando para recebê-lo.

Aquilo não era justo. Eu não queria ser privada de nada. Queria usufruir de todos os meus sentidos e a visão com certeza era um deles. Além do mais, naquela posição eu não podia beijá-lo.

— Don, me deixe virar.
— Não!
— Por favor! Também quero tocá-lo.
— Já falei para você ficar quieta, princesa. Não está sendo obediente. Assim terei que castigá-la.

Eu deveria ter reagido àquela provocação arrogante, cheia de sensualidade. Mas a verdade é que eu estava adorando aquele jogo e fiz exatamente o que ele queria. Tinha plena consciência do que viria a seguir e estava ansiando por isso.

Senti suas mãos deslizarem pelo colchão até alcançarem meus seios, enquanto ele deslizava para dentro de mim, começando um movimento de vai e vem; inicialmente lento, que pouco a pouco foi ganhando força e velocidade. E quando eu achei que não podia mais suportar, ele afastou meu cabelo, deixando meu pescoço livre e sem hesitar cravou suas presas, rompendo minha pele e deixando meu sangue fluir em sua boca.

Nem em meus sonhos mais delirantes eu poderia imaginar algo assim. De repente não havia mais quarto, cama, nada. Éramos apenas eu e ele, flutuando na imensidão, como se meu corpo estivesse levitando. E continuei subindo, até que o êxtase se apoderou de mim por completo.

Então, comecei a descer lentamente, como se alguma coisa me sugasse de volta a realidade e implorei para ele não parar. Eu não queria que aquilo acabasse, queria ficar ali mais um pouco, mas a sensação foi como cair no meio do nada.

— Estou aqui. Não vou deixá-la cair meu amor. Abra os olhos.

Levei um susto ao ouvir sua voz. Não tinha noção que pronunciava o que sentia em voz alta. Abri os olhos e estava de volta à cama, envolvida nos braços protetores de Donovan, que me olhava fascinado.

— Como se sente?
— Feliz! — respondi — E faminta.

Donovan me beijou, me puxando para mais junto de seu corpo.

— Isso é fácil de resolver se você prometer não se afastar nem um milímetro. Quero que continue aqui, bem juntinho de mim.

— Eu não quero me afastar de você — respondi, me acomodando mais em seu peito — Assim está tão gostoso! Aliás, eu não quero sair daqui tão cedo. Podemos mandar todos embora e cancelar a festa?

Donovan riu.

— Infelizmente não. Isso é algo que teremos que fazer. Não podemos fugir.

— Bem, ao menos agora não precisamos fingir, não é?

— Não, não precisamos mais fingir, princesa. Agora você é minha de verdade. Mas seja uma boa menina e se alimente. Não quero ser o responsável por sua fraqueza no meio da noite.

Donovan mordeu o próprio pulso e me ofereceu. Bebi até me sentir saciada e quando afastei sua mão, ele passou o dedo em meus lábios, limpando o resto de sangue de minha boca.

— Sabia que a casa está cheia de empregados? Não acha que você deveria ser mais discreto?

— Você estava no SPA completamente nua, com apenas uma toalha cobrindo as nádegas e não me lembro de estar preocupada com a possibilidade de algum deles ir até lá a sua procura.

— Porque eu sabia que ninguém poderia se aproximar sem que eu percebesse. Já você... — deixei o comentário no ar.

— O que tem eu?

— Não fui eu que corri duas vezes pelo gramado exibindo uma velocidade sobre humana — respondi sorrindo.

— E então, você vai usar o vestido que escolhi?

— Você faz mesmo questão disso, não é verdade?

— Confesso que estou louco pra ver você dentro dele e mais ainda para tirá-lo, depois que todos se forem.

— Eu ainda estou em duvida sobre isso. Gastei um valor considerável comprando uma roupa especial para essa noite, então, você vai ter que esperar o início da festa para descobrir o que vou usar.

— Quer dizer que agora está aprendendo a ser malvada?

— Uma garota tem direito a um pouco de mistério de vez em quando, não tem?

— Tudo bem, princesa! Eu posso esperar. Mas já sabe que se não usar o vestido que te dei, vou ficar tentado a castigá-la de novo.

— Hum! Esse era justamente o incentivo que eu precisava — respondi beijando-o.

Donovan sorriu e me ergueu, fazendo com que eu me sentasse sobre ele e não demorou muito, estávamos novamente entregues a paixão.

Algum tempo depois ele esticou o braço sobre mim, pegando o relógio que havia deixado na mesinha, ao lado da cama.

— Faz alguma ideia do tempo que estamos trancados aqui, senhora Hunter?

— Nenhuma — respondi, me espreguiçando lânguida em seus braços.

— Então, é melhor eu ir para você poder se arrumar, porque os convidados vão começar a chegar em aproximadamente uma hora.

— O quê?! — levantei de um salto — Como isso é possível? Não estamos aqui há tanto tempo assim. Estamos?

— Deixe-me ver — ele respondeu divertindo-se — Eu cheguei por volta das cinco da tarde. Agora são nove da noite. Descontando sua recepção nada calorosa no SPA e todo aquele tempo que perdemos conversando... Sim, estamos.

Recolhi a camisa que estava jogada no chão e os outros objetos dele, enquanto Donovan vestia a calça, e sem esperar fui empurrando-o porta a fora.

— Nove horas? Saia já daqui, Donovan Hunter.

Donovan ria, nitidamente se divertindo com o meu desespero.

— Você está adorando isso, não? Se eu me atrasar a culpa será toda sua.

— Ok! Estou saindo, nos vemos lá embaixo.

Ele ainda parou e me deu mais um beijo, antes que eu fechasse a porta.

Tinha pouco menos de uma hora para me preparar. Não era tempo suficiente. Com certeza eu não conseguiria descer antes da chegada dos convidados. Só me restava fazer o possível para que o atraso não fosse muito grande. Mas afinal, eu era a aniversariante e a noiva.

Respirei fundo e decide relaxar. Pelo que sabia, eu tinha direito a um pequeno atraso.

E sem que se perceba, o destino se encarrega de levá-lo de volta ao caminho. Um simples acaso pode revelar um importante aliado.

Capítulo 18
Romersgade

O curto percurso de trem foi rapidamente vencido e antes das nove da manhã já estávamos em Bruxelas. Conseguimos embarcar no voo de dez e trinta, com destino ao aeroporto de Kastrup, em Copenhague e ao meio dia aterrissamos na Dinamarca.

Conforme a orientação no bilhete deixado por nosso misterioso contato, nos instalamos no pequeno, porém confortável apartamento da Rua Romersgade, que servia de casa segura para os anjos em missão na terra, e esperamos.

Passar uma temporada na Dinamarca não estava nos meus planos, mas algumas coisas fugiam ao meu controle.

Ainda que meu desejo fosse esclarecer os boatos sobre uma nova insurgência por parte dos caídos e voltar para São Paulo o mais rápido possível, não tínhamos nenhum contato em Copenhague, o que não nos deixava outra opção, a não ser seguir a determinação no bilhete e aguardar por novas instruções, que poderiam levar vários dias para chegar.

Claire estava mais ansiosa que de costume. Parecia nervosa, revezando-se entre momentos de extrema agitação e outros, em que passava a maior parte do tempo calada, imersa em suas próprias conjecturas.

Imaginei que a expectativa do encontro, somado ao stress que todo aquele enigma gerava, era a causa de sua mudança de ânimo e não questionei. Mas estava enganado e sequer poderia supor o real motivo de seu comportamento incomum.

Sem alternativa, dediquei os primeiros dias a percorrer os arredores, conhecendo um pouco mais da cidade que eu não visitava há algumas décadas e da qual minhas últimas lembranças eram referentes à Carlie e aos dias em que permaneceu refém de Yuri Zarco, antes da batalha no Castelo do Anjo.

Claire não demonstrava muito interesse em passeios eventuais e a cada dia que permanecíamos sem receber qualquer contato por parte do renegado, ela se mostrava mais nervosa, chegando a ficar irritadiça.

Minha paciência com aquela espera se esgotava na mesma proporção em que o mau humor de Claire crescia e, para escapar do clima de ansiedade e tensão que se instalou entre nós, meus passeios noturnos se tornaram mais frequentes.

— Você vai sair de novo? — Claire perguntou entediada.

— Vou até o mercado ver se encontro uma garrafa de vinho. Você quer alguma coisa?

— Nada especial — ela respondeu — Será que essa noite não podemos fazer alguma coisa diferente? Não aguento mais ficar sentada nesse apartamento, a espera de uma notícia que não chega nunca?

— Não acho prudente ficarmos nos expondo pelas casas noturnas a essa altura. Ainda não sabemos quem é nosso contato ou porque nos enviou para cá.

— Quer saber? Estou ficando cansada disso tudo e mais ainda de você, John. Agora, vive me dando ordens, como se eu fosse alguma mocinha desprotegida.

— Claire, eu entendo que essa espera esteja te deixando nervosa. Não é fácil para mim também. Mas lembre-se que foi você mesma quem disse que essa era nossa melhor opção.

— Eu sei, mas não esperava que fosse demorar tanto, nem que nesse meio tempo você se transformasse em um carcereiro, me mantendo fechada aqui, sem direito a nenhuma diversão.

Apesar da irritação, não pude conter o riso diante daquela queixa dramática.

— Não sou seu carcereiro, amor e nem estou mantendo-a presa aqui. Você pode vir comigo sempre que quiser. Só acho arriscado passar a noite em uma boate, dançando e bebendo, sem saber exatamente o que nos aguarda na cidade.

— Viu? É disso que estou falando, John.

Sem paciência para prolongar aquela discussão, que não nos levaria a lugar algum, dei um beijo rápido em Claire e saí para caminhar um pouco e comprar o vinho.

A Romersgade é uma rua pequena, localizada nas proximidades do canal da Sogade e junto com a Farimagsgade, limita o Orstedsparken. Edifícios antigos abrigam apartamentos residenciais, um hotel e lojas de comércio variado, que vão desde pequenas boutiques a estúdios de tatuagem.

Estacionamentos para bicicletas ocupam boa parte das calçadas e do espaço junto ao meio fio, que normalmente é destinado a vagas para carros.

Caminhei até a esquina e dobrei a direita, em direção a Farimagsgade, que àquela hora tinha pouco movimento. Passei pelo bar sem parar e segui direto para o Café do outro lado da avenida. Ocupei uma mesa pequena no canto e pedi um expresso.

Enquanto aguardava pensei em Claire e no quanto àquela busca por informações que nos levassem aos caídos poderia afetar nossa relação.

O atendente se aproximou trazendo uma xícara sobre a bandeja e no instante exato em que ia me servir, a garota ruiva que estava no balcão virou-se, esbarrando em seu braço.

O movimento o pegou desprevenido, fazendo-o derramar o café quente sobre mim. A garota desajeitada tentou se desculpar, pegando os guardanapos que estavam sobre o balcão para secar o líquido que havia se esparramado sobre a mesa, mas o papel era insuficiente e só serviu para fazer mais sujeira.

— Pode deixar que eu resolvo, senhorita — o atendente declarou, lhe dirigindo um olhar aborrecido — Vou buscar um pano e retorno logo com outro café. Enquanto isso, se o senhor quiser, pode usar o banheiro para se limpar. Fica logo ali — ele falou, apontando para o fundo da loja.

O rapaz se afastou e a jovem aproveitou a deixa para se apresentar.

— Sou Elise, a desastrada — ela sorriu oferecendo a mão — Permita-me pagar o seu café para me desculpar por manchar sua camisa.

Observei-a atentamente antes de responder. Com os cabelos curtos e cacheados, Elise aparentava ter uns vinte anos, talvez um pouco mais e seu ar alegre transmitia cordialidade, mas não deixei de notar sua essência sobrenatural.

— Johnatan Fallen! E não se preocupe. Acho que isso sai com uma boa lavada.

— Mesmo assim eu insisto em pagar o café, se você me permitir acompanhá-lo. Depois desse desastre acho que também preciso de um.

Ela riu e sem que eu tivesse tempo de recusar, sentou-se na cadeira a minha frente fazendo sinal para o atendente, que logo retornou, dessa vez trazendo duas xícaras.

— Você não parece daqui. Está de férias?

— Negócios, mas vou ficar poucos dias na cidade — respondi sem dar muita explicação.

— Que pena! Tem muita coisa legal para fazer por aqui. Talvez sobre algum tempo.

Apesar do que poderia parecer, ela não estava flertando comigo. Ao contrário. Parecia alegre e despreocupada, como se estivesse conversando com um amigo. Decidi colocar as defesas de lado e ver até onde aquilo poderia me levar.

— Por enquanto, se achar um lugar para comprar uma boa garrafa de vinho já ficarei satisfeito.

— Eu conheço o lugar perfeito. Aqui pertinho tem uma loja de bebidas e é realmente incrível. Tem as melhores marcas importadas, além de alguns bons vinhos da região. Posso levá-lo até lá quando terminar o café.

— Combinado — respondi chamando o atendente — Mas pode deixar que eu pago.

O rapaz se aproximou com a conta. Paguei os cafés e saímos. Caminhamos algumas quadras conversando sobre os lugares que Elise costumava frequentar com suas amigas, que eu suspeitava serem todas da mesma raça que ela.

Havia identificado de imediato sua natureza vampírica, mas ao que tudo indicava Elise não fazia a menor ideia de quem eu era, o que tornava aquele encontro ocasional ainda mais interessante.

Inevitavelmente, lembrei-me de Carlie. Talvez porque Elise, apesar de ter a aparência muito distinta, demonstrava a mesma alegria e jovialidade.

— É aqui! — Elise declarou, parando em frente à loja.

Na fachada, um toldo cor de vinho protegia a vitrine, que exibia algumas variedades de queijos e frios.

Entramos e fui surpreendido por longas estantes de madeira envernizada, com escaninhos que armazenavam uma grande variedade de marcas. Havia vinhos e espumantes de todos os tipos, além de outras bebidas como Bourbon e conhaques, que estavam dispostos em prateleiras mais ao fundo.

— Não falei para você que esse lugar é incrível?

— Você tinha razão. Valeu a pena a caminhada.

Demorei-me entre as estantes, apreciando e escolhendo os que pretendia comprar, e decidi levar também um pouco de queijo. Encontrei o tipo preferido de Claire e isso, com certeza, ajudaria a melhorar um pouco seu humor.

Meia hora depois estávamos de volta à rua.

— Bem, acho que aqui nos despedimos. Foi um prazer conhecê-la Elise e obrigado pela dica.

— Eu que agradeço a companhia e a conversa. Quem sabe ainda nos vemos por aí?

Apertei sua mão e em troca recebi um beijinho caloroso no rosto, antes que ela se virasse e começasse a caminhar no sentido oposto ao meu, levando sua própria sacola com alguns espumantes que havia comprado.

Retornei pela Farimagsgade, caminhando devagar pelos cinco quarteirões que me separavam do parque.

Quando cheguei ao apartamento encontrei Claire assistindo a um filme na TV. Estava deitada, abraçada a uma almofada, vestindo uma camisola de renda vermelha que deixava suas longas pernas á mostra. Os cabelos dourados espalhados sobre o sofá.

Ao me ver entrar ela imediatamente levantou-se e veio ao meu encontro, me abraçando.

— John, finalmente! Pensei que não voltaria mais.

— Parei para tomar um café e fui caminhar um pouco. Trouxe uma coisa pra você.

— Espero que seja comida, porque estou faminta — ela respondeu sorrindo, numa clara demonstração de que seu humor havia voltado ao normal.

— Hum! Está faminta é? Não sei se o que eu trouxe será suficiente para sua fome, mas sei que vai gostar.

Abri a sacola mostrando as garrafas de vinho, os queijos e os frios, e coloquei tudo sobre a mesa.

— Edan! — Claire exclamou satisfeita — e gorgonzola. Perfeito John. Obrigada!

— E qual dessas eu devo abrir para a senhorita?

— O Merlot.

— Ok! Então, enquanto eu sirvo o vinho, vá até a cozinha e veja se ainda temos pães ou alguma outra coisa para combinar com nossa refeição.

Abri a garrafa que ela escolheu e peguei as taças no armário. Claire voltou, trazendo uma travessa para arrumar os queijos e os frios com os pães que ela encontrou na cozinha. Servi as taças, oferecendo uma a ela e nos sentamos para comer.

— John! Sei que ando um pouco chata nos últimos dias e acho que te devo desculpas.

— Tudo bem! Você está ansiosa e é compreensível. Também não estou à vontade com essa situação.

— É que isso é muito importante para mim. É uma grande chance para ficarmos juntos, sem o fantasma de termos que nos separar de novo, e não quero pôr tudo a perder.

— Eu entendo meu amor! Também não quero perder essa oportunidade, mas precisamos ter paciência.

Claire levantou de sua cadeira e veio sentar em minha perna. Pegou um pedaço de queijo e serviu em minha boca, acariciando meu cabelo enquanto comia, demonstrando uma disposição para o romance que havia desaparecido nos últimos dias. E de repente, tudo voltava ao normal. Ela era novamente a mulher apaixonada e afetuosa de antes de chegarmos à Dinamarca.

Essa noite quero admirar sua alma, e em seu íntimo sentir o fogo que faz palpitar seu coração.

Capítulo 19
A festa

Eram dez e quarenta quando parei no alto da escada e observei a sala, que já estava repleta de gente. A maioria, pessoas que nunca tinha visto e nem fazia ideia de quem eram.

Localizei Donovan de pé, próximo ao hall, conversando com um grupo. As duas faces da porta permaneciam abertas e algumas pessoas entravam enquanto outras saíam.

Um garçom, humano com certeza, circulava entre os convidados servindo taças de espumante.

— Aí está ela. Finalmente!

Ouvi a voz de Lord Bran e o brindei com um de meus melhores sorrisos, enquanto observei Donovan caminhar em minha direção.

Ele estava especialmente atraente essa noite, em um terno preto riscado e uma camisa grafite com os dois primeiros botões abertos, permitindo ver parte da pele lisa de seu peito.

Quando ele se aproximou da escada, estendendo a mão para me receber, achei que não fosse resistir ao impulso de me jogar em seus braços.

— Você está fabulosa, princesa! — e se aproximando de meu ouvido, completou — Pena que não posso fazer amor com você agora mesmo.

— Eu poderia dizer o mesmo para você, meu querido — respondi atrevida.

— Vejo que foi obediente e está usando meu presente. Ficou perfeito! Exatamente como imaginei que ficaria — e se afastando sem dar tempo para que eu respondesse, ele completou — Venha! Nossos convidados estão ansiosos para conhecê-la.

— Criança, você está extraordinariamente bela essa noite.

— Lord Bran, é um prazer tê-lo em nossa casa.

— Eu não perderia a chance de revê-la por nada, minha querida.

— Lord Bran é um famoso galanteador. Não o deixe monopolizá-la, princesa. Com licença Bran, mas preciso apresentá-la a algumas pessoas.

— É claro, Hunter. Leve sua bela mulher para conhecer nossos amigos.

Donovan pegou em meu braço e foi me afastando em direção ao grupo com o qual ele conversava antes de minha chegada.

— O que foi aquilo, Don? Por acaso está com ciúmes de Bran?

— Eu? Com ciúmes daquele velhaco?

— Foi a impressão que tive — respondi rindo.

— Estou começando a achar que foi um erro vesti-la assim. Você não está se comportando. Talvez eu leve você de volta para o quarto e a faça lembrar de umas coisinhas.

— Donovan Hunter! Você não ousaria.

Rimos juntos e senti o braço de Donovan enlaçar minha cintura ao nos aproximarmos do grupo.

— Carlie, esse é George. Somos parceiros em alguns negócios e esse é Ted, seu irmão, Karin a namorada de Ted, Robert e finalmente, Elise.

— Olá! É um prazer conhecê-los.

— Olá Carlie! — George respondeu pelo grupo — Estávamos curiosos para conhecer a mulher que conseguiu fisgar o coração de nosso amigo. Sabe como é. Ninguém mais acreditava que isso aconteceria um dia.

— Muito engraçado, George — Donovan respondeu e todos riram divertidos.

— Como está, Carlie?

A ruiva de cabelos cacheados, que Donovan disse se chamar Elise, me cumprimentou como se fôssemos velhas amigas.

— Eu estou bem... Ah! Desculpe! Elise, certo?

— Isso mesmo — ela se aproximou e depositou um beijo em meu rosto.

— Já nos conhecíamos? É que não tenho certeza.

— Ah, na verdade nunca fomos formalmente apresentadas, mas é como se eu te conhecesse desde sempre. Não nos vemos muito, mas sempre que nos encontramos Donovan não fala de outra pessoa.

— É mesmo? — olhei para ele, mas estava de costas conversando com Ted e Karin.

— É sim. Você está tão sexy!

— Hã, isso? — respondi, apontando para o vestido —Tenho que confessar que não me sinto nada à vontade, mas o que uma garota não faz para agradar seu homem.

Conversar com Elise era muito fácil. Ela tinha um astral alegre e imediatamente senti que poderíamos nos tornar amigas.

— Elise, você me dá licença? Preciso roubar Carlie por alguns minutos.

— Tudo bem Donovan, eu quero mesmo dar uma volta por aí. Sabe, lá fora está muito animado — ela se dirigiu a mim — Se você quiser podemos dançar mais tarde. Parece que a pista está bombando.

Elise se foi, descendo as escadas em direção ao jardim e Donovan me conduziu através dos convidados, em direção ao anexo, um ambiente menor que eu costumava usar como sala de leitura.

— Venha! Preciso que veja uma coisa.

Quando ele abriu a porta, hesitei.

— Não precisa entrar se não quiser, mas eu tinha que te mostrar, para ver que não fiz nada que você desaprove.

Espalhados pelos sofás havia várias pessoas, todos jovens, homens e mulheres aparentando pouco mais de vinte anos. Duas vampiras estavam se alimentando de alguns rapazes, que pareciam estar gostando muito de servir a elas. Alguns apenas conversavam descontraidamente.

— Todos estão aqui de livre vontade. Nada de domínio ou qualquer outro tipo de controle. São todos maiores de idade, Carlie e sabem exatamente o que estão fazendo. E também estão sendo pagos por esse serviço.

— Estão recebendo para nos servir essa noite?

— Exatamente! Para eles é como um trabalho, do mesmo modo que são pagos quando abastecem as Casas Paraíso.

— Tudo bem então.

— Tudo bem mesmo? Não te incomoda saber que estão aqui?

— Não! Se é assim como você disse, está tudo bem. Verdade.

Uma jovem de cabelos louros, que estava de pé perto da janela, se aproximou e me ofereceu sua mão, mas Donovan fez um sinal para ela se afastar.

— O que foi? Ela não gostou de mim? — a menina perguntou, como se não entendesse o motivo da recusa.

— Não há nada de errado com você, meu bem. Não se preocupe. É que ela está em uma *dieta especial*.

Saí da sala e Donovan fechou a porta, vindo atrás de mim.

— Acho que é melhor irmos lá pra fora. Você precisa conhecer o resto dos convidados e quero que se divirta um pouco também.

Concordei com um movimento de cabeça, caminhando em direção ao hall, mas antes que pudéssemos alcançar a porta fomos interrompidos por um grupo de três membros do conselho. Arrastaram Donovan para uma daquelas conversas chatas, sobre os negócios que envolviam os clãs, me deixando sozinha.

Aproveitei a oportunidade e me esgueirei discretamente pela porta lateral, saindo em direção ao jardim dos fundos.

A tenda menor, onde um DJ tocava música eletrônica, estava cheia. Vampiros e humanos se misturavam, dançando, bebendo e se divertindo. Mas eu precisava de um pouco de ar, então tomei o caminho oposto. Segui até as proximidades do SPA, que parecia ser o único lugar da casa que ainda não tinha sido descoberto pelos convidados.

— Uma mulher tão bonita não deveria ficar sozinha em uma festa.

A voz era grave, macia, quase sedutora. Virei-me para observar quem era o dono daquela voz tão atraente e me deparei com um homem alto, de corpo esguio, cabelos castanhos e pele levemente morena.

— Desculpe, não era minha intenção assustá-la. Você deve ser a bela jovem que motivou tudo isso. Acertei?

— Pode se dizer que sim. E você?

— Noah. Mas parece que você não está se divertindo.

Ele pronunciou o próprio nome como se isso bastasse para explicar sua aparição repentina. Talvez devesse fazer algum sentido, mas continuei sem saber de quem se tratava. Não que isso importasse muito, já que a maioria dos presentes eu realmente não conhecia.

Mas ele era diferente.

Ainda que fisicamente aparentasse pouco mais de trinta anos, sua postura e a maneira como pronunciava as palavras transpareciam uma elegância que remetia ao passado. Uma classe aristocrática que não deixava dúvidas quanto a sua origem remota.

— Só precisava de um pouco de ar, mas já estou bem — olhei ao redor, imitando seu gesto ao se referir à festa.

— Tome. Vai se sentir melhor depois de um desses.

— Obrigada! Talvez você tenha razão — respondi, acompanhando as palavras com um sorriso.

Aceitei o copo que ele me oferecia e dei a volta, retornando pelo caminho em direção a casa. Encontrei Donovan na sala a minha procura.

— Aí está você. Venha Princesa! Elise já está na pista e os outros estão indo também. Vamos dançar — Donovan me segurou pela mão, conduzindo-me para junto do grupo.

— Olha quem acabou de chegar! — Karin comentou visivelmente surpresa.

— Não sabia que ele estava de volta — Ted retrucou em seu ouvido.

Virei-me para descobrir quem era o motivo dos comentários bem a tempo de ver *Noah* passando pela porta principal.

— Noah! Pensei que não viesse mais — Donovan cumprimentou o recém-chegado com um abraço entusiasmado, como poucas vezes o vi fazer. Seguramente, tratava-se de alguém por quem ele nutria verdadeira afeição, o que era raro se tratando de Donovan.

— Eu não perderia essa oportunidade por nada.

— Venha! Quero que conheça Carlie.

— Sente-se melhor? — Noah perguntou enquanto apertava minha mão.

— Renovada. Obrigada!

— Perdi alguma coisa? — Donovan desviou o olhar em minha direção, como quem aguarda por uma explicação.

— Nos encontramos no jardim há pouco — respondi, me divertindo secretamente com sua reação exagerada, demonstrando que não estava nada satisfeito.

— Tive o prazer de trocar duas ou três palavras com sua linda esposa quando cheguei. Confesso que, depois de tudo que ouvi, estava curioso para conhecê-la.

— Espero que não tenha dado crédito aos comentários de Yuri.

— Você sabe que temos nossas divergências sobre os assuntos da família e nesse caso, estou certo de que Yuri cometeu um grande engano. Sua eleita se tornou uma jovem encantadora, discreta e pelo que ouvi falar, muito talentosa. Será uma grande aquisição para o clã.

— Não existe essa possibilidade, Noah. Não tenho intenção de permanecer aqui por muito tempo.

— Sei que tem fortes motivos para pensar assim, mas tem muita coisa que desconhece sobre o tempo que passou fora. Pretendo esclarecer alguns pontos importantes e acho que, depois disso, você mudará de ideia. Mas, esse é um assunto que não convém conversarmos agora. Teremos oportunidade para tratar dele depois.

Olhei para Donovan confusa com aquela conversa. O que estava acontecendo ali? Quem era Noah afinal?

Não demorou muito para que minhas dúvidas fossem esclarecidas.

— Princesa! Apresento-lhe oficialmente Noah Zarko, irmão de Yuri.

Irmão de Yuri. Então era isso. Noah era tio de Donovan.

Imediatamente, minha mente se encheu de perguntas. Não sabia se deveria receber essa notícia como algo bom ou ruim.

Minha opinião sobre Yuri Zarko era a pior possível e por mais que Noah parecesse gentil, tinha deixado claro que seu objetivo era manter Donovan na Dinamarca. Apesar disso, senti uma afinidade instantânea com ele.

— Carlie, espero que aceite minha amizade e saiba que desde já tem em mim um aliado para qualquer situação.

— Seja bem vindo em nossa casa, Noah! Estou certa de que nos daremos bem.

O resto da festa transcorreu conforme o planejado. Por volta da meia noite Donovan me conduziu até a tenda menor, onde havia um pequeno palco que abrigava o DJ, e convocou todos os presentes.

Como era esperado, colocou um anel em meu dedo, com um diamante nada discreto e anunciou oficialmente nossa união para todos, que se reuniram em um brinde efusivo.

Seu amor é a chama que aquece meu coração. Em seus beijos me perco e me encontro, me derramo em paixão, para então, morrer por uma noite mais.

Capítulo 20
Momentos a dois

Passava das quatro da manhã quando finalmente os últimos convidados foram embora. Subi ao quarto para descansar, enquanto Donovan se encarregava de dispensar os empregados do Buffet.

Tirei a sandália e sentei na cadeira, fechando os olhos para relaxar um pouco. Os sons da festa ainda retinindo em minha cabeça. Alguns minutos depois, senti um aroma suave e a presença de Donovan no quarto.

Abri os olhos e ele estava de pé, bem a minha frente. Ainda usava o terno da festa e trazia uma das rosas negras em suas mãos. Começou a deslizá-la por minha pele, roçando-a lentamente por meu rosto e pescoço, descendo até o ombro.

Estendi a mão em sua direção e ele a segurou, erguendo-me da cadeira. Enlaçou minha cintura, aproximando nossos corpos ainda mais e me beijou, passando a rosa em minhas costas pelo profundo decote do vestido.

A sutil sensação das pétalas misturada ao beijo foi o suficiente para despertar meu desejo, até que inesperadamente ele se afastou, levando a rosa com ele. Ocupou a cadeira onde eu estava, me deixando de pé no meio do quarto, entre ele a cama.

— Tire o vestido, bem devagar. Quero admirar sua beleza.

Então, ele queria um show? Pois bem! Eu podia dar isso a ele.

Virei-me de costas e comecei a soltar lentamente as finas alças que sustentavam o vestido em meu pescoço. Ao desatar o nó, a seda deslizou de uma só vez até o chão. Voltei a virar de frente para ele, revelando os seios nus. No corpo, apenas a delicada renda da lingerie.

Abaixei, olhando diretamente em seus olhos, enquanto lentamente despia a minúscula peça.

— Você é linda, princesa! — Ele declarou, estendendo a mão em minha direção. — Venha até aqui.

Sem responder, me aproximei da cadeira, segurando sua mão. Donovan me sentou em seu colo e me beijou, voltando a deslizar a rosa, dessa vez por todo meu corpo.

Vibrei em antecipação, quando ele a soltou, deixando-a cair no chão e com a mão livre começou a me acariciar.

Ele me olhava intensamente, absorvendo cada uma de minhas sensações e a cada toque, meu corpo respondia com arrepios de excitação. Quando finalmente afastou minhas pernas, estremeci, deixando escapar um gemido.

O efeito foi igual a um combustível alimentando a chama. Quanto mais eu gemia e estremecia, mais ele intensificava o toque, até que não pude me conter e deixei o prazer me dominar. Soltei um grito abafado e foi como se todo meu corpo derretesse em seus braços.

Donovan me deu um longo beijo e me carregou em seu colo até a cama.

— Gosto de você assim — sussurrou em meu ouvido antes de se afastar.

Fiquei deitada, me deliciando com a visão dele enquanto se livrava das próprias roupas. Por um momento cerrei os olhos, imaginando tudo que a noite ainda me reservava. Só voltei a abri-los ao sentir o contato de sua pele sobre a minha.

Ele prendeu minhas mãos ao lado do travesseiro, os dedos entrelaçados, o olhar penetrante, como se quisesse desvendar minha alma, decifrar cada uma de minhas emoções.

Acompanhei seus movimentos e a cada tremor de meu corpo, ele reagia acelerando o ritmo, o que aumentava ainda mais minha excitação. E quando novamente cedi ao prazer, ele me acompanhou, murmurando meu nome.

Donovan puxou meu corpo e me abraçou, cobrindo minhas pernas com as suas, praticamente me prendendo embaixo dele, como se eu fosse um grande travesseiro.

— Don, já pensou que talvez eu precise só de um pouquinho de espaço para dormir? — perguntei baixinho, fingindo uma queixa.

— Vai se acostumando princesa, porque é assim que vai ser a partir de hoje. Agora que você é minha, não abro mão de tê-la junto a mim todo o tempo. Nem mesmo dormindo.

— Sabe que essa declaração mostra claramente o quanto você é possessivo, não sabe? — perguntei rindo e me aconchegando ainda mais em seu corpo.

— Possessivo e extremamente apaixonado — ele respondeu, acariciando meu cabelo — Agora fique quietinha e me deixe dormir um pouco, a não ser que queira começar tudo de novo.

— Hum! Essa é uma possibilidade tentadora.

— Ah é? Não esqueça que foi você que pediu, princesa — ele retrucou, voltando a me beijar.

Não me lembro de quando adormeci. Tudo que lembro é que o sol já estava alto quando nos rendemos ao sono.

Saímos do restaurante e fomos dar uma volta pela cidade. Claire finalmente tinha superado o stress causado pela espera de um novo contato. Estava conformada em manter uma rotina discreta e parecia mais calma.

Caminhamos pela margem do canal observando a beleza da arquitetura ao redor, as pessoas praticando esportes aquáticos e a paisagem que nos cercava.

Após a ansiedade dos primeiros dias, eu também me sentia mais relaxado. Na verdade, sempre me imaginei voltando a essa cidade. Secretamente desejava isso. E agora que estava aqui entendia o motivo.

A Dinamarca me trazia recordações de uma época em que vivia intensamente, como se tivesse acabado de ser libertado de alguma prisão.

Aqueles foram anos de pura diversão. A liberdade cantava em meus ouvidos, despertando-me para o mundo ao redor. Eu era livre para ir e vir quando quisesse, e gostava de me sentir assim.

Não mantinha laços afetivos com ninguém e, por isso mesmo, não era prisioneiro em nenhum aspecto. Vivia ao sabor do meu espírito, livre e rebelde, vagando pelo mundo, desfrutando de tudo que a terra tinha para me oferecer. Mas, acima de tudo, eu estava satisfeito com minha vida.

Passamos toda a tarde circulando pela cidade, parando em algumas lojas, visitando pontos turísticos ou simplesmente passeando.

Quando retornamos ao apartamento no início da noite, meus pés estavam cansados e minhas pernas um pouco doloridas, porém nada me tirava a agradável sensação de um dia prazeroso.

— Vou tomar um banho. Quer vir comigo?

— Não John. Pode ir. Prefiro me esticar na cama um pouco e ter o banheiro todo só para mim, depois que você terminar — ela respondeu bem humorada.

— Ok! Então relaxe porque eu pretendo demorar.

Entrei no banheiro, espalhando as roupas pelo chão enquanto me despia e abri a ducha. Fechei os olhos e permaneci imóvel por um longo tempo, deixando a água morna cair sobre os ombros e escorrer pelo corpo, sentindo os músculos relaxarem, levando embora todo o cansaço da caminhada.

Não queria pensar em nada complicado, nem lembrar o motivo pelo qual estávamos ali. Queria apenas tomar meu banho, relaxar revivendo os melhores momentos daquela tarde maravilhosa e me preparar para a noite que estava por vir.

Desliguei o chuveiro e saí do banheiro, enrolando-me na toalha para voltar ao quarto. Sentia-me bem disposto, revigorado e queria compartilhar isso com Claire. Quem sabe ela gostasse de uma massagem antes do banho. Mas fui surpreendido com o que veio a seguir.

Claire estava paralisada, sentada na beira da cama com o olhar fixo em algum ponto a sua frente. A expressão grave denunciando que algo não estava bem.

— Claire! — chamei para despertá-la do que quer que fosse — O que aconteceu? Porque está assim?

— É ele, John.

Por um momento não compreendi a quem ela se referia.

— Ele quem?

— O exilado. Ele quer um encontro, mas dessa vez está disposto a recebê-lo. Na verdade, ele foi bem específico nessa parte. Disse que devo levar você comigo.

— Como assim? Você recebeu algum recado enquanto eu estava no banho?

— Não John. Ele ligou. Falou comigo.

— Como ele conseguiu seu número?

— Não sei.

— E o que mais ele disse?

— Nada. Apenas que era para eu levar você e passou orientações de como chegar ao local. Pelo que entendi, fica fora da cidade.

— E quando deverá acontecer esse encontro?

— Agora.

Aquilo colocava um fim nos meus planos para a noite. Em questão de segundos, toda a sensação de prazer que eu desfrutava foi substituída por um estado de alerta.

— Ele quer que nos encontremos com ele à noite, em um lugar desconhecido, fora da cidade? Desculpe, mas não estou gostando nem um pouco disso.

— Eu também não, mas temos que ir. Não podemos perdê-lo agora.

— Claire, eu entendo, mas não é tão simples assim. É muito arriscado. Não vê? Pode ser uma armadilha.

— Eu sei John, mas seguimos essa pista até aqui e esperamos tanto por esse contato. Não quero pôr tudo a perder por um medo infundado. Preciso esclarecer esses boatos e concluir a missão. Está decidido. Eu vou, com ou sem você.

— De jeito nenhum vou deixá-la sair daqui sozinha. Prometi acompanhá-la até o fim dessa história e é o que vou fazer.

— Obrigada, John! Sabia que podia contar com você.

Enquanto Claire tomava banho e se preparava para o encontro, me vesti e ocupei-me da tarefa de analisar um mapa da região para a qual deveríamos ir.

Tentei traçar uma estratégia para que não ficássemos tão expostos a alguma surpresa desagradável, mas não havia muito que fazer.

Quando ela anunciou que estava pronta, peguei a chave do carro que havíamos alugado para qualquer imprevisto e seguimos para o endereço que foi passado.

Conforme as instruções, pegamos a estrada em direção a Dragor, uma cidade portuária a aproximadamente treze quilômetros de Copenhague.

Apesar da aparente firmeza de Claire, meu instinto dizia que algo estava errado e que naquela situação, toda precaução seria pouca.

Sinto que uma transformação se aproxima.

As sombras da noite já se acercam de meu ser.

A ilusão se desvanece e com ela também a esperança.

Capítulo 21
Descobrindo a conspiração

— Você tem certeza que desta vez o encontro vai acontecer?

— John! Não posso garantir isso, mas algo me diz que dessa vez estamos no caminho certo.

— E acha mesmo que ele nos dará as informações que precisamos?

— Pelo bem de todos, espero que sim.

— Me parece muito estranho o fato dele marcar um encontro tão afastado da cidade. Tenho receio que seja algum tipo de emboscada.

— Não estou com medo. Você está comigo e afinal, o que poderia acontecer de tão ruim?

— Só quero que você me prometa que vai tomar cuidado, Claire.

— Sinceramente John! Às vezes, acho que você se esquece de quem sou, ou me confunde com outra pessoa.

Sabia que ela estava se referindo a Carlie e não respondi ao seu comentário para evitar que iniciássemos uma discussão inútil àquela altura dos acontecimentos.

— O endereço é aqui! Chegamos.

Olhei ao redor e não pude conter minha reação.

— Ah! Fala sério. Porque esses caídos não procuram casas normais para viver? Têm sempre que escolher esse tipo de moradia?

Apesar do comentário irônico, eu realmente estava preocupado com o lugar onde havíamos nos metido.

Um prédio abandonado, no estilo mais clichê possível. Velho, com as janelas quebradas e sujeira por toda parte. Parecia o cenário de um filme de terror.

Descemos do carro e seguimos em direção à porta que estava fechada. Acima do batente havia uma gravação recente com uma passagem bíblica do apocalipse.

> *"Os que habitam na terra, se embebedaram com o vinho da sua prostituição".*

— Parece que dessa vez acertamos.

Batemos na porta e ela se abriu, em um claro convite para entrarmos. O ambiente interno, composto de um único cômodo, estava totalmente às escuras.

— Que lugar é esse afinal? Se não estivéssemos atrás de um anjo banido, diria que essa é a casa perfeita para um vampiro.

Esperava que Claire fizesse algum comentário, mas ela permaneceu calada. Calada demais para meu gosto.

— Porque está tão quieta? Desde que chegamos aqui você não disse uma palavra.

Claire não respondeu, mas sua expressão já não era a mesma e quando pensei em puxá-la pelo braço, com intenção de chamar sua atenção, uma voz masculina se manifestou.

— Você é curioso, Johnatan Fallen!
— Quem está aí? Apareça.
— Acredito que essa não é sua maior dúvida.

Outra voz respondeu, revelando que havia mais de uma pessoa a nossa espera.

— Claire, temos problemas.

Mas ela não me ouvia. Continuava seguindo em frente, caminhando em direção à voz, até que a perdi de vista na escuridão.

— Claire! Volte aqui. Onde você está?

— Não se preocupe Johnatan. Não estamos aqui para feri-lo. Pedimos a Claire que o trouxesse para que pudéssemos conversar. Temos uma proposta para lhe fazer, General.

— Do que estão falando? O que Claire tem a ver com tudo isso?

— Digamos que ela é uma importante aliada de nossa causa e pode ser bem convincente quando recebe uma missão.

Não podia acreditar no que estava ouvindo.

Claire, uma traidora! Juntando-se ao inimigo e me levando para uma armadilha. O pior é que eu estava em completa desvantagem. Não sabia quantos eram e muito menos quem eram os homens ocultos nas sombras.

— John — a voz de Claire soou firme como uma rocha — Você deve ouvi-los. Dê a eles uma chance de explicar a situação. Eles podem mudar nossas vidas.

— Não há nada que possam dizer que me interesse. Você me traiu, Claire e nunca vou perdoá-la por isso.

— Acalme-se General!

Uma luz se fez, clareando grande parte do ambiente. Apenas o fundo permanecia escuro. Cinco homens se aproximaram, parando bem a minha frente. Em pé, ao lado deles estava Claire.

— Olá Johnatan! Deixe que me apresente. Sou Yuken e é um prazer finalmente conhecê-lo.

— Me chamo Kesabel. Seja bem-vindo!

— Sou Gadrel.

— E eu, Penemue.

— Kasyade — o último dos caídos se apresentou —, mas estou certo que já nos conhecemos. Quando sua garota vampira desapareceu, o bastardo do Baltazar usou meu nome como disfarce.

— É uma honra para todos nós estarmos diante do consagrado General Johnatan Fallen.

YEKUN – *O Primeiro Anjo* – *Seu nome significa Rebelde. Foi o primeiro a seduzir e desencaminhar os demais. De enorme inteligência, ensinou aos homens a linguagem dos sinais, a leitura e a escrita.*

KESABEL – *O Segundo Anjo* – *Acusado de ser responsável por incentivar as relações carnais entre os anjos e os seres humanos.*

GADREL – O Terceiro Anjo – Condenado por disseminar os ensinamentos sobre a morte e como um anjo poderia usar uma espada para ferir outro Anjo.

PENEMUE – O Quarto Anjo – Exilado por ensinar aos homens a arte de mentir.

KASYADE – O Quinto Anjo – Banido por revelar aos homens os mistérios dos espíritos.

— *Vocês* são os cinco! — exclamei, aturdido pela revelação inesperada.

— Exatamente! Os primeiros a se rebelarem contra os desejos de nosso pai. Estamos aqui para oferecer um acordo.

— E que tipo de acordo eu posso querer com vocês?

— Ora, Johnatan! Não somos tão diferentes assim. Você também foi banido. É um caído como todos nós e sabemos reconhecer o valor de um bom soldado.

— Mas, diferente de vocês, eu busco a redenção.

— E para que? Porque buscar a redenção? Se humilhar perante um Deus, se *você* pode ser um, aqui mesmo na terra. Seria muito injusto ter que viver sobre as regras daquele que te renegou.

— Não me compare a você, Kasyade. Não quero essa vida que tem a me oferecer. Eu quero e vou alcançar minha redenção, recuperar minha glória e conseguir o perdão de meu pai. Voltarei para junto dos meus irmãos e não vou deixá-lo me enredar em suas artimanhas.

— Artimanhas? Então, nós também não somos seus irmãos? Você fala de voltar para junto dos outros, mas e aqueles que não podem obter a redenção? Porque devem seguir exilados, longe dos irmãos, simplesmente por desejarem seguir outros passos, que não os que foram determinados por um ser que nem mesmo temos a honra de ver? Como pode confiar em alguém que impõe tamanha pena a seus próprios filhos?

— Isso se chama fé e amor, Kasyade. Não preciso vê-lo para crer nele e não tenho necessidade de contestar seus desígnios. Aceitei minha pena e faço o que posso para me redimir.

— É essa a vida para a qual deseja voltar? Viver segundo as regras dele, obedecendo cegamente seus desígnios sem questionar, enquanto os humanos vivem aqui, desfrutando de tudo que ele proveu? Fazendo o que bem entendem, destruindo sua maior criação. E quando se cansam de cometer erros, o que eles fazem? Basta que se ajoelhem e clamem seu nome para ganhar o perdão. Perdão que é negado a nós, seus filhos legítimos.

— Uma criança que questiona os conselhos de seu pai, acaba se envolvendo em coisas erradas.

— *E você está disposto a sacrificar o seu amor, simplesmente por que ele determinou que assim deve ser?*

A voz que fez a pergunta vinha da parte escura do salão e com ela, uma enorme energia, que me fez paralisar por um instante. Uma força semelhante à de um arcanjo. Algo que só havia sentido, até então, na presença de Rafael.

Mas aquela era uma energia negra e imediatamente a escuridão se apoderou de meu corpo, me fazendo sufocar, como se não tivesse mais ar no recinto.

— Não pode ser... — tentei balbuciar, mas as palavras não saíam.

— Você não precisa ver para crer. Não foram essas as suas palavras, *Johnatan Fallen*?

Senti a pressão em meu peito afrouxar e o ar voltar aos poucos.

— Azazel! O que...

Fui interrompido bruscamente antes que pudesse formular qualquer pergunta.

— Isso não importa agora, General. Está claro que você ainda não está pronto. Mas uma grande guerra está por vir e no final, sua decisão mudará tudo que há a sua volta — ele fez uma pausa para enfatizar suas próximas palavras — Você acha que ao se unir a nós estará sacrificando o céu, mas pense que ao insistir em voltar, perderá não só sua tão prezada liberdade, como também o grande amor de sua vida.

— Carlie!

— Você pode voltar e até recuperar sua posição como o grande general que já foi um dia, mas perderá o seu amor para sempre. Ou pode ficar, unir-se ao nosso exército e tê-la seu lado pela eternidade. Não se iluda. Não estou dando uma opção. A profecia se cumprirá, de uma forma ou de outra, e é fato que você é o escolhido que a realizará. Você virá, por livre e espontânea vontade. Se unirá a nós. E quando isso acontecer estarei aqui a sua espera. Agora como prova de minha boa vontade, vá e pense em tudo que foi dito essa noite. Tome sua decisão. Mas lembre-se: será à frente de meu exército que você lutará essa guerra e juntos dominaremos a terra e o céu, porque assim está escrito.

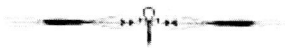

AZAZEL — *O mais poderoso anjo que caiu do paraíso. Era encarregado da tarefa de levantar as faltas humanas e enumerá-las perante o tribunal divino.*

Rei dos Shekmitas, comandante das legiões do inferno. Um dos arquedemônios de Satã, que correspondem aos arcanjos de Deus. Um general que responde diretamente a Lúcifer e que, por vezes, é confundido com o próprio mestre.

Antes de cair era um anjo emissário, enviado para viver entre os humanos, e nesta missão, teve filhos com mulheres humanas e os chamou de Nefilins.

Nos escritos apocalípticos Azazel é o poder do mal cósmico, identificado pelos impulsos de atos maus e de morte.

Representa a serpente que tentou Eva e provavelmente, é o legítimo pai de Caim.

Seu nome está gravado no estandarte dos anjos rebeldes.

Não podia aceitar o que estava acontecendo. Como poderia eu desrespeitar e destruir meu pai?

Eu sabia que Rafael ainda depositava confiança em mim. Do contrário, não interviria a meu favor em Nova Orleans, nem me daria esperanças de um acordo de redenção.

Não trairia sua confiança. Não cometeria outro erro. Mas minha mente estava turva. Sentia-me confuso e as palavras de Azazel reverberavam em minha cabeça, como almas gritando aterrorizadas nas profundezas do inferno.

Deixei o prédio e pela primeira vez em minha existência senti medo. Medo do que estava para acontecer, decepção pela traição de Claire. Mas, acima de tudo, estava assustado com o prenúncio de um apocalipse.

Não sabia o que fazer naquele momento ou mesmo para onde ir. Já não havia local seguro ou inacessível. Então... decidi voltar para o apartamento na Romersgade.

Quero romper as correntes que aqui me prendem e voar. Não tenho para onde ir, mas aqui não quero mais ficar.

Capítulo 22
Sem direção

Estava totalmente desnorteado. Sentia-me perdido, sem saber que atitude tomar ou a quem recorrer.

Entrei no carro e segui sem destino, optando pelo caminho mais longo, tentando organizar as ideias em minha cabeça. Ao me aproximar da Romersgade, a única certeza que tinha era que não conseguiria ficar trancado no apartamento, sozinho, remoendo a conversa com Azazel.

Continuar dirigindo sem rumo pela cidade não mudaria em nada meu estado de angústia. E assim, tomei a decisão mais fácil e fiz o que a maioria das pessoas fazem quando estão desesperadas.

Estacionei em frente a um bar com o irônico nome de Hope. Era localizado próximo ao apartamento onde estava hospedado, o que me garantia a possibilidade de voltar caminhando, no caso de beber além do limite, que era exatamente o que eu pretendia fazer.

Entrei e observei o ambiente. Simples, porém acolhedor e o que era melhor, com poucos frequentadores. Algumas mesas vazias, outras com casais espalhados pelo salão e uns poucos bancos ao redor do balcão.

Sentei no último banco, na ponta mais distante. Não queria companhia essa noite. Estava sozinho nessa jornada e pretendia continuar assim, ao menos por enquanto.

Olhei ao redor e reparei que todos, sem exceção, estavam acompanhados ou tinham alguém para conversar. Naquele momento me dei conta de meu isolamento.

Há algumas horas eu acreditava estar próximo de cumprir minha parte no acordo. Conseguir as informações necessárias para desmantelar a conspiração dos caídos e garantir minha redenção. E agora, aqui estava eu, prestes a me embebedar sozinho em um bar.

Em geral, até gostava da solidão, já estava acostumado a ela. Mas naquele momento eu precisava desabafar com alguém. Estava a ponto de enlouquecer com os últimos acontecimentos, mas não havia ninguém em quem pudesse confiar.

Fiz um sinal chamando o barman, um homem pequeno, de corpo atarracado e cara de quem estava entediado com o serviço rotineiro.

— Me traga uma dose da bebida mais forte que você tiver — pedi, sem me preocupar em ser gentil.

O homem me olhou com interesse disfarçado, como se minha aparente angústia fosse uma benção, capaz de pôr fim a sua entediante noite de trabalho.

— Aqui está, amigo! — ele declarou, me entregando um copo com uma dose dupla de uísque puro — Posso ajudar em alguma coisa?

— Pode — respondi, virando o conteúdo do copo de uma só vez. — Traga outro igual a esse e me deixe quieto. Não estou a fim de conversar.

— Posso deixar uma garrafa, se preferir.

— Melhor ainda!

Virei a garrafa que ele pôs sobre o balcão, enchendo o copo até a metade e me pus a analisar minha vida.

Começava a pensar que esse não era meu lugar. Nos últimos anos, vivi muitas coisas que iam de encontro a minha natureza. Não era à toa que há muito havia optado por levar uma vida isolada de meus iguais. Mais de uma vez fui traído e aprendi da pior maneira que a terra estava longe de ser o lugar ideal para alguém como eu.

Permanecer aqui estava acabando com tudo que eu me orgulhava de ser. Esse, com certeza, era um mundo em que eu não desejava viver. Nada aqui me interessava, por isso tomei a decisão de buscar a redenção.

Eu já não era mais o mesmo. Antigamente me emocionava com a capacidade de superação dos humanos e acreditava no poder da transformação. Agora bebo sozinho. Acho que perdi a esperança.

Mais uma dose, ou melhor, um copo quase cheio de uísque e comecei a ser invadido pela traiçoeira ilusão da nostalgia. O rosto de Carlie surgiu como um borrão em minha mente, enquanto bebia outro gole.

Sem chance! Não permitiria que a emoção me tomasse de assalto. Não estava em condição de confiar em ninguém e apesar de ter descoberto toda a trama de Claire para me levar até Azazel, eu tinha certeza de que Carlie também havia me traído.

Pensando bem, minha simples existência na terra passara a ser uma ameaça. Talvez eu devesse largar tudo. Se eu fingisse ser louco não causaria tantos problemas. Certamente seria internado e receberia o mesmo tratamento destinado aios humanos nessa condição.

Olhei a garrafa, que já estava pela metade, e voltei a encher o copo.

— Que merda eu fui fazer da minha vida? — resmunguei baixinho comigo mesmo — Poderia estar no meu lugar agora, como general do exercito de Rafael.

Por mais que eu desejasse, não podia ficar a noite inteira me lamentando pelas coisas que estavam por acontecer. Agora, mais do que nunca, eu precisava me preparar. Uma guerra estava para acontecer e, querendo ou não, eu estaria bem no centro dela.

Deixei o dinheiro da bebida sobre o balcão e saí cambaleando, sentindo o torpor causado pelo excesso de álcool. Havia bebido muito mais que o de costume e a tensão ajudava a me enfraquecer. Consegui alcançar a porta do bar e atravessei para a calçada com intenção de chegar até o carro, mas antes que pudesse evitar, trombei em alguém.

— Ei! Olhe por onde anda.

— Desculpe! Estou meio alterado. Não reparei você se aproximando.

— Johnatan? É esse o seu nome, certo?

Olhei para minha interlocutora, que me chamava pelo nome, sem imaginar quem poderia ser. Forcei um pouco a visão, embaçada por causa do uísque e finalmente a reconheci.

Elise, a garota que havia me levado à loja de vinhos.

— Elise, é você?
— Nossa! Você não me parece nada bem. Precisa de ajuda?
— Na verdade sim. Acho que você caiu do céu.
— É meio contraditório isso que disse agora — ela respondeu, rindo divertida com sua piada particular.
— Você está sempre de bom humor?
— Na maioria das vezes. Já que vou ter uma longa vida, prefiro não estar sempre irritada.
— Você deve ter razão. Mas, no meu estado, não poderia dizer com certeza.
— Aonde você vai? Não parece estar em condições de dirigir.
— É! Não estou mesmo.
— Venha, eu te levo.
— Essa não! Se você pretende mesmo dar uma de babá, pode começar me acompanhando de volta ao bar para beber mais um pouco.
— Beber mais? Você deve estar realmente numa pior.
— Você não faz ideia.
— Ok! Se é isso que quer, vamos entrar e você pode me contar o que está acontecendo.

Voltei para o interior do bar acompanhado de Elise e pedimos outra garrafa de uísque. A ideia de ter companhia me agradava e a simpatia daquela garota extrovertida, somada à quantidade de álcool que eu já havia ingerido, me fez relaxar um pouco.

Poder me abrir com alguém só para variar, era tentador e quando percebi já estava contando para ela muito sobre minha vida, sobre a traição de Claire e até sobre a profecia. Mas o fato dela ser uma vampira me deixava com um pé atrás. A última coisa de que eu precisava agora era ter problema com os vampiros.

Depois de uma longa conversa e mais uma garrafa vazia, perdi completamente a noção de onde estava ou o que havia me levado até o bar.

— Acho que já está na hora de ir.
— Por quê? Ainda falta muito para a noite terminar — respondi numa linguagem quase incompreensível.

— Não creio que você tenha condições de tomar nem mais uma dose. Você precisa é de um bom banho e cama, e com certeza vai acordar com uma baita dor de cabeça.

— Você acha é?

Elise me segurou pelo braço e daí em diante tudo que me recordo são flashbacks passando em minha cabeça, como cenas de um filme cortado. Elise me colocando no banco do passageiro, dirigindo meu carro, me colocando de cueca no chuveiro, a sensação da água gelada em meu corpo e depois o conforto acolhedor da cama.

Acordei no dia seguinte com uma ressaca terrível. Meu corpo estava dolorido, a cabeça latejando. Meus olhos pareciam grudados, mal conseguia entreabri-los. Há tempos não me permitia ficar nesse estado.

Tentei sair da cama, mas pelo lado errado e acabei dando uma cabeçada na parede. Soltei um palavrão e finalmente, consegui abrir os olhos.

O quarto todo girou e tive dificuldade para me localizar. Aos poucos, me lembrei de tudo que tinha acontecido na longa noite anterior e acordei de vez.

Ainda confuso, olhei a minha volta para ver se encontrava Elise e suspirei aliviado ao perceber que ela não estava lá. O mais provável é que eu tenha dormido sozinho.

Levantei-me e fui até o banheiro. Abri a torneira e lavei o rosto, jogando muita água. Quem sabe não conseguiria lavar até minha alma?

Tentei colocar a cabeça toda debaixo d'água. Queria mesmo era poder lavar meus pensamentos. Peguei a toalha, me enxuguei, respirei fundo e saí do banheiro, voltando para o quarto.

Com passadas lentas, me aproximei do armário para me vestir. Foi quando notei um bilhete ao lado da cabeceira da cama, escrito com uma letra firme e desenhada.

"Johnatan, desculpe pelo mau jeito, mas já estava muito tarde e eu precisava ir. Agora que sei que somos vizinhos, estou certa de que vamos nos encontrar de novo. Espero que acorde bem. Beijos! Elise"

Aquelas palavras tiveram o efeito de um tranquilizante. Apesar de Elise ser uma mulher bem atraente, era bom saber que mesmo embriagado, não havia perdido o controle.

A ressaca começava a dar uma trégua e aos poucos eu voltava ao normal. Um bom café com certeza me ajudaria a curar de vez aquela sensação desagradável.

Saí do quarto e segui para a cozinha, com intenção de providenciar um desjejum. Mas ao contrário do que pensava, eu não estava só.

Ao entrar na cozinha me deparei com Claire sentada em uma das cadeiras, o braço apoiado sobre a mesa, certamente esperando que eu acordasse.

— Então, você teve coragem de voltar aqui depois do que fez.

— Pelo que pude perceber você andou se divertindo um bocado na minha ausência.

— Não me compare com você, que se deita com qualquer um para tentar firmar um acordo — respondi sarcástico e ao mesmo tempo amargo.

— Não se refira a mim com essas palavras, Johnatan.

— Porque não? Com certeza você é pior que qualquer coisa que eu possa dizer.

— John, você não entende. Essa é nossa melhor chance. Poderíamos ter uma vida de verdade aqui na terra. Liberdade para fazer o que quisermos.

— Você é que não entende, Claire. Você não caiu como eu, não era uma banida. Como pôde trair Rafael? Ele confiou em você.

— Você fala em traição quando é ele que nos manipula o tempo todo.

— Ele tem seus motivos para que seja assim. Não nascemos para ser como os humanos. Nascemos anjos e deveríamos proteger a todos eles.

— Você percebe o que está falando? Sacrificar nossas vidas, nossa felicidade, pelos seres humanos, quando poderíamos viver como eles? Somos melhores que eles, John. Merecemos ter o que eles têm e que nos foi negado.

— Nosso pai sabe o que faz. Se ele não nos criou como humanos é por que não teríamos a capacidade de viver como eles.

— Por que confia tanto nisso?

— Por que, diferente de você, ele nunca me traiu. E se você me traiu uma vez, quem garante que não trairá de novo?

— Não é traição, John! Só quero um lugar melhor para viver. Quero o direito à liberdade, poder fazer minhas escolhas.

— Você quer um lugar melhor? Está maluca? Não sabe o que é viver na terra. Eu passei décadas aqui e tudo o que vi foram drogas, bebidas, violência e guerras. Muitos deles passam dificuldades durante toda a vida e poucos estão livres de doenças. Epidemias se espalham por toda parte, sem falar nas catástrofes naturais. É esse o lugar melhor que você quer?

— Apesar de todas essas dificuldades, eles sobrevivem e são felizes.

— Você não entende mesmo. Suma daqui, Claire!

— Não posso. Não sem levar você comigo.

— Está me desafiando? Suma daqui antes que eu perca a paciência e acabe com você agora mesmo.

— Eu vou embora. Mas lembre-se John: a profecia é real e ela vai se cumprir, quer você queira ou não.

Claire se foi, mas suas palavras permaneceram como uma sombra me atormentando.

Porque ela estava tão segura de que eu trairia Rafael? O que poderia acontecer nessa guerra?

E quando menos se espera, somos brindados com surpreendentes revelações. Mas só o que permanece oculto é verdadeiramente capaz de desvendar as sombras do passado.

Capítulo 23
A noite das garotas

Conforme imaginei, após a festa eu e Elise nos tornamos amigas e em poucos dias já estávamos íntimas, como se nos conhecêssemos desde sempre.

— Oi amor! Estávamos esperando você chegar.

— Posso saber para que? — Donovan perguntou, olhando a valise no chão ao lado do sofá.

— Vim roubar a Carlie de você — Elise respondeu em tom de provocação —, mas pode ficar tranquilo. É só por hoje. Vamos fazer uma noite das garotas.

— *Noite das garotas* — Donovan repetiu, como que para entender o que aquela declaração significava.

— Karin e Ted brigaram, e ela está deprimida. Então, vamos nos reunir para animá-la um pouco e vim buscar Carlie para me ajudar.

— Sei. E pelo visto não pretende trazê-la de volta para dormir em casa, não é mesmo?

— Don, não seja bobo. É só uma noite entre mulheres. Não vamos fazer nada que você desaprove.

— É isso mesmo, *Don* — Elise completou, imitando a maneira como eu me referia a ele — Nem vamos sair. A reunião será no meu apartamento e prometo que amanhã bem cedo eu devolvo Carlie inteirinha para você.

— Acho bom, *irmãzinha*. Não quero ter que matá-la caso aconteça alguma coisa a ela — Donovan respondeu brincando — Suponho que vão pedir minha contribuição para essa festinha.

— Bem, na verdade você já contribuiu amor.

— E com que contribuí? — ele resmungou — Será que eu quero mesmo saber a resposta?

Rimos quando ele enrugou a testa como se estivesse assustado.

— Peguei duas garrafas do seu estoque de Moet Chandon. Você não vai se importar, vai?

— Não, não vou me importar. Por que tenho a sensação de que não devo fazer mais perguntas?

— Até que você é bem inteligente, às vezes, *irmãozinho* — Elise provocou — Vamos Carlie! Tenho que voltar antes que as garotas cheguem ou não terá ninguém para recebê-las.

Peguei a valise, dei um beijo rápido em Donovan e saí com Elise me puxando pelo braço. Quando já estávamos na escada, ouvi a voz dele.

— Elise, vê se não dirige feito uma louca.

— Eu? Ele nunca viu você dirigindo?

— Eu ouvi isso. Vamos ter uma conversinha quando você voltar, princesa.

Ainda ríamos quando Elise atravessou a alameda e entrou na pista em direção à cidade. Ao estacionarmos na garagem do edifício da Romersgade, onde Elise morava, Celine e Karin já estavam a nossa espera.

Subimos juntas até o apartamento no terceiro andar e enquanto ajudava Elise a colocar as garrafas de espumante no gelo, fui surpreendida pela declaração de Celine.

— Eu bem que não reclamaria se ele me desse uma chance.

— Quem? Noah? — Karin perguntou surpresa.

— Ele não é muito *antigo* para você, Celine? — Elise perguntou.

— Vamos ser sinceras. Ele é um gato. Eu ficaria com ele sem pensar duas vezes.

— Pobre tio Noah! — ri, imaginando a cara que Noah faria se pudesse ouvir essa conversa.

— Eu conheço pelo menos uma dúzia de garotas que pensam igualzinho a você e isso só na família.

— Sabe, nunca entendi porque ele está sempre sozinho.

— Eu gosto dele. Foi o único que me apoiou de verdade quando eu e Donovan assumimos nossa relação.
— Além de mim — contestou Elise.
— Além de você é claro, amiga. Mas acho que Noah é muito sério. Talvez isso atrapalhe um pouco os relacionamentos.
— Vocês bem que poderiam me deixar sonhar só um pouquinho. Quem sabe eu esteja disposta a tentar?
— Boa sorte, Celine! Vai precisar.
— Porque está falando assim?
— É como eu disse. A fila de pretendentes a vaga de quarta esposa de Noah Zarko é enorme — Elise respondeu maldosa.
— Quarta esposa? — perguntei surpresa.
— Vocês não sabiam?
— Nunca conversamos sobre isso — respondi, curiosa para saber um pouco mais da vida de Noah. E Elise parecia disposta a contar tudo que sabia, incentivada pelo interesse de Celine.
— Ele já teve três esposas. Dizem que era loucamente apaixonado pela última e depois dela, nunca mais teve um relacionamento sério com ninguém, e olha que isso já faz uns duzentos anos. Assumiu de vez a vida de solteirão e é super seletivo com as mulheres, mesmo que seja apenas para relações superficiais. Parece que ninguém é boa o suficiente para ele.
— Eu não fazia ideia. Mas o que aconteceu com elas?
— Ora, Carlie! É muito raro alguém da nossa raça sobreviver tanto quanto Noah. Ele é quase uma lenda entre nós.
— Duzentos anos? — quis saber Karin.
— É o que comentam por aí.
— E ainda é apaixonado pela última esposa. Que história mais linda!
— Pronto! Acho que só piorei as coisas — Elise declarou.
— Agora é que ela vai mesmo tentar. Ela consegue ser mais romântica que você, Carlie — Karin completou e todas nós rimos da reação de Celine à história contada por Elise.
— Sabia que você é bem parecida com ela?
— Quem, eu? — perguntei, incrédula com aquela revelação.

— Talvez por isso ele tenha sido o único da família que apoiou Donovan quando...

— Chega Elise! Carlie não veio até aqui para ouvir você falar do passado. Além do mais, você já está um pouco alta, amiga.

— Estou mesmo e pretendo ficar ainda mais — Elise respondeu entre risos e perguntou, já se levantando para pegar outra garrafa — Quem quer mais champanhe?

Apesar da brincadeira, a interrupção de Karin não pareceu nada ocasional. Algo me dizia que Elise estava a ponto de revelar algum segredo importante. Registrei aquela informação com a intenção de voltar ao assunto em outra oportunidade, quando me encontrasse sozinha com ela.

— Eu estou com fome. Alguém se lembrou de trazer comida?

— Que bom! Finalmente Karin vai se alimentar. Já estava preocupada.

— Acho que essa história toda sobre Noah serviu para me trazer de volta.

— Querida, o que não falta aqui é comida. Tem um freezer cheinho de bolsas lá na cozinha. É só escolher seu tipo preferido e pode se servir à vontade.

— Odeio comida congelada — Celine se queixou.

— Tenho que admitir que também prefiro beber direto da fonte, mas hoje é só isso que temos. Carlie mantém uma dieta especial. Então, nada de sangue fresco por hoje.

— Não se prendam por mim. Não sou tão radical assim.

— Viu Elise? Porque não ligamos para a Casa Paraíso e pedimos que mandem uns doadores? Seria divertido.

— Está maluca? Já imaginou o que Donovan faria comigo se soubesse que trouxe Carlie para um apartamento cheio de homens?

— Então, é esse o problema? Não acredito que estão se privando por causa de Donovan.

Aquilo me pareceu divertido, mas um pouco exagerado.

Donovan era controlador, mas não podia interferir na vida delas. Afinal, era a casa de Elise e ela tinha toda liberdade para agir como quisesse.

— Não se ofenda querida, mas nenhuma de nós aqui tem intenção de irritá-lo. Não queremos ganhar a inimizade do príncipe. Quando se trata de você, meu irmãozinho tem limites bem rígidos e queremos tê-la por perto. Então, é não. Nada de belos doadores por hoje, meninas.

— Pobre Don! Assim você o faz parecer bem pior do que é. Admito que às vezes ele é muito controlador, mas não precisa exagerar.

— Não se engane, Carlie. Toda mulher gosta de ser contida de vez em quando e qualquer uma, fora dessa sala, adoraria trocar de lugar com você — Karin interviu, rindo da minha reação.

— Imagino a quantidade de mulheres que devem estar me odiando agora.

— Você se surpreenderia com a lista de garotas que daria tudo para estar no seu lugar e ter Donovan cuidando delas.

— Bem, se não teremos doadores, o jeito é atacar o freezer — Celine comentou, colocando um ponto final no assunto.

— Carlie, é verdade que você namorava um caído antes de vir para cá? — Elise quis saber.

— É sim, mas não gosto de falar sobre isso.

— Ah! Por favor, não pode nos negar um pouco de informação. Você é a única aqui que já se relacionou com um deles — Celine respondeu inconformada.

— Ouvi dizer que são supersensíveis as reações femininas. Sempre sabem o que estamos sentindo ou o que queremos — Karin completou.

— Você o amava?

— Sim! Muito. Mas isso faz parte do passado.

— Vamos lá Carlie, conte alguma coisa pra gente — Celine insistiu.

— Não sei se todos são assim como dizem por aí. Ele era bem atencioso e é verdade que muitas vezes parecia adivinhar o que eu queria.

— E na cama? Quer dizer... vocês transavam, ou não?

— Claro que sim. Passamos muito tempo juntos, mas não vou falar da minha intimidade, suas curiosas.

— Eu nunca conheci um caído, mas acho que não teria coragem de me relacionar com um deles. Dizem que são tão traiçoeiros.

— Eu teria. Até conheci um deles essa semana — Elise falou com sua habitual irreverência — Adoro os caras maus. São os melhores. Não concorda, Carlie?

— Nem todos os caídos são assim. Alguns de nossa raça podem ser bem piores. Acreditem!

Aquela altura já estávamos todas sob efeito do álcool e o riso fácil transformava cada comentário em uma brincadeira. A noite se foi rápido, entre garrafas e mais garrafas de champanhe, vinho, algumas bolsas de sangue, muita música e fofocas femininas. Algumas bem apimentadas, outras nem tanto.

Eram quatro da manhã quando nos despedimos de Karin e Celine na porta do prédio.

— Adorei nossa festinha particular. Precisamos repetir em breve.

— Karin, me ligue se precisar de companhia querida.

— Pode deixar Elise. Tchau Carlie! Até a próxima.

Elise e eu esperamos elas entrarem no carro e darem a partida, só então, subimos de volta ao apartamento.

— Bem, espero que você tenha se divertido com as garotas. Às vezes exageramos um pouco, mas quem não faz?

— Eu adorei e concordo com Karin, precisamos fazer isso mais vezes.

— Ainda temos meia garrafa de vinho. Não devemos desperdiçar, não acha?

— De jeito nenhum.

— Tá legal. Acabamos com ela e vamos dormir. Prometi te levar de volta pela manhã e não queremos deixar Donovan estressado.

— Elise, falou sério sobre eu ser parecida com a esposa de Noah ou aquilo foi só para provocar Celine?

— Bem, eu não diria que vocês são idênticas, mas sim, você lembra muito ela. Poderiam ser mãe e filha, ou irmãs talvez.

— E o que isso tem a ver com Donovan? Você ia falar alguma coisa sobre Noah ter apoiado Donovan. O que aconteceu?

— Ah! Não é nada. Nem lembro direito. Quer dizer, você mesma mencionou que Noah foi o único que apoiou de verdade quando vocês assumiram a relação. Acho que era sobre isso que eu estava falando.

A resposta de Elise não me convenceu nem um pouco, ao contrário, parecia claro que ela estava evitando falar sobre o verdadeiro motivo de seu comentário. Não queria forçá-la para não ser indelicada, então achei melhor mudar de assunto.

— Sabe, tem muita coisa que ainda não entendo. A organização do conselho por exemplo. Parece tudo tão arcaico e ainda assim, eles detêm tanto poder. Sem falar de Yuri e a maneira como ele controla a família.

— Sobre o conselho eu não sei mais do que você e sinceramente, não tenho muito interesse. Já quanto à Yuri, ele é uma pedra no caminho de muita gente.

— Como assim?

— Muitos membros do conselho gostariam de ver Yuri fora do controle do clã. Acham que ele dificulta as relações de negócio.

— Nisso eu acredito.

— O problema é que Yuri domina pela força e não são poucos os que se desagradam da maneira como ele dirige a organização. Para mim não faz diferença. Ele nunca deixou que nos faltasse nada e não é de controlar nossa vida privada. Ele só se preocupa mesmo em manter a fortuna e a posição da família. Desde que não façamos nada que possa atrapalhar os negócios ou sua preciosa Among US, podemos viver nossas vidas como acharmos melhor.

— Você sabe o motivo dessa animosidade entre ele e Donovan?

— Desculpe Carlie! Às vezes esqueço que você viveu tanto tempo ausente. Imagino que não saiba muito sobre o que se passou.

— Tem razão. Não sei mesmo.

— E nem poderia. Tudo isso começou antes mesmo de você nascer. Nem sempre fomos comandados por Yuri. O clã era responsabilidade de Noah, até que sua esposa morreu. Então, ele deixou o controle nas mãos de Yuri e se foi. Muitos do conselho tinham esperança que Donovan assumisse, por isso quando ele decidiu desaparecer, levando você, o conselho o manteve como membro, mesmo contrariando Yuri. Talvez esperassem que um dia ele retornasse e requisitasse o controle do clã para si. E agora, com o retorno de Noah coincidindo com a união de vocês, acho que isso é uma questão de tempo.

Lembrei-me da conversa entre Donovan e Noah no dia da festa. Agora tudo fazia sentido. Se o conselho preferia ver Donovan no comando do clã, então era sobre isso que Noah estava falando.

— Duvido muito que isso aconteça, Elise. Temos outros planos. Na verdade, não pretendemos ficar na Dinamarca por muito tempo. A ideia era voltar em breve para São Paulo e tenho a impressão que Donovan não se importa muito com os negócios da família ou com o futuro da Among Us.

— Não é de surpreender, já que ele tem sua própria fortuna para cuidar. Mas olhe para seu pulso — Elise falou, apontando para o camafeu em forma de pulseira que eu estava usando — Acha mesmo que ele não se importa com os assuntos da família?

Acompanhei seu olhar sem dar muita importância à pergunta. Até aquele momento eu não podia imaginar o quanto estava enganada aquele respeito.

— Isso é outra coisa que não entendo. Don está sempre viajando. Pequenas viagens de negócios que, em geral, não duram mais que três ou quatro dias. Uma semana, às vezes duas. Só houve uma vez que ele se ausentou por vários meses.

— É, eu sei. Ele esteve por aqui, mas na época ninguém sabia ao certo para quê. Agora imagino que ele estava preparando o caminho para sua apresentação. Lord Bran é muito discreto e sempre foi bom em ajudar Donovan a se ocultar de Yuri.

— Tá legal, mas de onde vem todo esse dinheiro? Porque eu sei que Donovan cuidou para que eu herdasse os bens deixados após a morte de meus pais e fez alguns investimentos, multiplicando meu patrimônio, mas minha família não era tão rica assim.

— Tá brincando comigo, Carlie?

Olhei para Elise surpresa e ao mesmo tempo espantada com sua reação.

— Pela sua cara já vi que não está brincando. Você não tem mesmo nenhuma ideia de quem é Donovan, não?

— Tem algo especial que eu deveria saber sobre ele?

— Por Lilith! Carlie, preste atenção! Você não pode se unir a um homem e saber tão pouco sobre ele.

— Nunca achei que era importante. Don sempre cuidou de tudo e, para falar a verdade, eu não tinha interesse em nada disso, até que viemos para cá. E então, foram tantas coisas ao mesmo tempo, que me deixaram confusa e muito curiosa.

— Estou vendo. Até onde você sabe?

— Quase nada, Elise. Até chegar aqui eu nem sabia da existência do conselho, muito menos conhecia a hierarquia e achava que essa coisa de *Princesa* era só uma forma carinhosa de me tratar.

— Tudo bem, mas agora você sabe que não é só isso e com certeza, sabe que parte do dinheiro de vocês vem das Casas Paraíso que ele controla, principalmente no Brasil. Isso você sabe, certo?

Minha tentativa de não parecer surpresa foi inútil porque Elise prosseguiu ainda mais incrédula.

— Você não fazia ideia de nada disso, não é verdade?

— Mais ou menos — menti, mas logo voltei atrás. Não dava para enganar Elise. E a essa altura ela já tinha se revelado ser minha amiga — Não, eu não fazia ideia.

— Carlie, Donovan controla os negócios de nossa gente em São Paulo e em várias outras cidades brasileiras, e pelo que sei algumas na Europa também. Ele nunca se ausentou totalmente, só cuidou para manter-se inacessível aos homens de Yuri. Porque você acha que é tão importante para Yuri tê-lo de volta na organização?

— Yuri é uma raposa — declarei, compreendendo onde ela queria chegar — Ele sabe que Donovan pode ameaçar sua posição. Por isso estava atrás dele todo esse tempo.

— Exatamente. Você entendeu direitinho. E agora que você é oficialmente da família, a posição de Donovan fica ainda mais forte. Você era a única arma de Yuri contra Donovan e agora ele não pode mais ameaçar sua segurança, já que vocês se uniram aos olhos de toda a sociedade.

— Foi o que Donovan disse — sussurrei em resposta, pensando na conversa que tivemos na noite em que ele anunciou a farsa do noivado, antes que nossa relação se tornasse verdadeira.

— Olha só! Ficamos conversando, acabamos com todo o vinho e já vai amanhecer. É melhor irmos deitar se quisermos chegar a sua casa antes que um Donovan muito irritado venha saber por que ainda não te levei de volta.

— Tem razão! Falamos tanto que nem senti a hora passar.

— Venha, vou mostrar o quarto.

Custei a pegar no sono. Minha mente vagava pelas revelações daquela noite. Finalmente muitos pontos se encaixavam.

Relembrei, uma vez mais, a breve conversa entre Noah e Donovan na noite da festa. Senti o peso da joia com a marca do clã que eu carregava em meu pulso e um pensamento me invadiu: o de que tão cedo não retornaríamos para São Paulo.

Imagens conhecidas invadem minha mente.
Emoções contidas, sensações revisitadas...
Começo a sentir primaveras ancestrais.

Capítulo 24
Um encontro inesperado

— Carlie! — senti a mão de Elise balançando levemente meu ombro — Carlie, acorde! Já passa das dez. Tenho que levá-la de volta para casa.

— Ainda não. Estou com sono, me deixe dormir.

— Nada disso. Vamos! Você pode dormir no caminho. Prometi que a levaria pela manhã e se não sairmos logo, Donovan ficará furioso comigo.

— Ai! Está bem. Já estou levantando, mas você está exagerando.

— Exagero ou não, prefiro não arriscar meu pescoço — Elise contestou, rindo da própria piada — Venha! Vamos ver o que sobrou na geladeira. Estou faminta!

Levantei me espreguiçando e abrindo os olhos devagar. Sentia-me letárgica, certamente pela quantidade de vinho e champanhe que consumi durante a noite. Elise, ao contrário, parecia radiante, como se tivesse acabado de despertar de um longo torpor.

Ainda sonolenta, segui-a até a cozinha, onde ela encheu dois copos com uma das várias bolsas de sangue que não foram consumidas, me entregando uma.

— Isso chega a ser um insulto — comentei em tom de brincadeira, mas ela pareceu não entender a que eu me referia e perguntou:

— O que eu fiz?

— Nada! Só não deveria ter tanta disposição assim pela manhã. É ultrajante para uma vampira — respondi e nós duas caímos na risada.

— Tem razão, mas agora precisamos nos apressar. Não sei como Donovan ainda não ligou te procurando.

Só então me lembrei de conferir o celular. Eu havia esquecido o aparelho dentro da bolsa durante a noite e se Donovan tentasse falar comigo, certamente eu não ouviria o som do aparelho.

Tarde demais, constatei que havia três chamadas perdidas, todas dele. Mas antes que tivesse chance de ligar de volta, o telefone de Elise tocou.

— Donovan! — Elise fez uma pausa — Sim, estamos bem. Carlie acabou de acordar. Quer que passe para ela? — outra pausa e então ela concluiu — Ok! Só nos dê alguns minutos.

— Deixe-me falar com ele.

— Não vai precisar — Elise retrucou, desligando o aparelho — Enquanto falamos ele está estacionando lá embaixo.

— Donovan está aqui?

— Está e acho melhor descermos antes que ele canse de esperar e venha pessoalmente buscá-la.

Troquei a camisola pela roupa que usei na noite anterior e juntei os objetos pessoais que havia deixado no quarto. Já estava saindo quando senti falta do camafeu que havia tirado para dormir.

Voltei até o quarto, peguei a pulseira que estava em cima do aparador e corri pelas escadas ao encontro de Elise, que havia descido na minha frente.

Despertei sentindo-me estranhamente diferente. Pela primeira vez, ao me olhar no espelho, reconheci em meu reflexo a pessoa que eu era. Alguém que já não via há muito tempo. Me detive antes do banho matinal observando minha própria transformação.

Muitas vezes agi automaticamente, sem ter consciência de que me perdia de mim. Acordava, me banhava, me vestia, mas não me dava conta do quanto havia me deixado contaminar pela vida na terra.

— Como isso aconteceu? — perguntei ao homem que me olhava através do espelho, suspenso sobre a bancada do banheiro — Como deixei que você chegasse a esse ponto, Johnatan Fallen?

Não que tivesse sido infeliz durante esse tempo, pelo contrário. Eu simplesmente havia devorado cada possibilidade de felicidade que surgira. Uma falsa sensação de felicidade, que aos poucos foi se apoderando de mim e me transformando no que eu havia sido até então. Até esta manhã, quando percebi o quanto me encontrava distante de alcançar meu propósito.

Finalmente entendi que não necessito de qualquer tipo de compensação por ser quem sou. Infelizmente, precisei passar por duras provas até compreender. Mas se fosse de outro modo, talvez agora não me reconhecesse nesse que me encarava refletido no espelho. Minha real natureza, meu verdadeiro eu.

Para ser sincero, minha decisão já estava tomada desde a noite anterior. Deixar o apartamento era uma necessidade. Precisava me mudar se não quisesse correr o risco de acordar e me deparar novamente com Claire, sentada a minha espera para mais uma conversa desagradável. Mas não era minha intenção retornar imediatamente para São Paulo.

Agora que sabia que tudo não passara de uma conspiração para fazer com que eu me unisse aos caídos, estava livre para buscar uma oportunidade real de conquistar minha redenção. Mas para isso precisaria recomeçar do zero.

Intencionalmente, havia estacionado o carro na noite anterior na frente do prédio, para não ter o trabalho de tirá-lo da garagem. Arrumei a mala, tomei um café e saí pela porta da frente do edifício, rumo a minha nova vida.

Antes de alcançar o carro, me deparei com Elise na portaria do prédio ao lado, mas ela não estava só. Para minha surpresa ela estava acompanhada de Carlie.

No mesmo instante que notei sua presença, Donovan abriu a porta do Toyota preto, que estava estacionado a poucos metros de meu carro e saiu. Ao se aproximar, depositou um beijo em Carlie, que retribuiu com um sorriso.

Os dois permaneceram abraçados, enquanto ele falava alguma coisa para Elise. Pensei em ignorá-los, passando direto. Mas se fizesse isso perderia a chance de me despedir de Elise, que eu tinha que admitir, foi a melhor companhia que tive nos últimos dias.

Antes que pudesse me decidir, ela me viu e acenou, o que chamou atenção do grupo para minha presença.

Sem opção, me aproximei decidido a deixar um contato com Elise antes de partir.

— Johnatan! Está de partida?

Percebi o ar de surpresa com que Carlie e principalmente Donovan, olharam para Elise. Certamente, ela não havia comentado nada sobre nossa recente amizade.

— Ora! Se não é Johnatan Fallen. Não acha que está muito longe de casa? — ele perguntou em tom de provocação.

— Vocês se conhecem? — Elise parecia confusa.

— Digamos que tivemos uma aventura juntos, mas não sabia que você agora andava com caídos, irmãzinha.

— Donovan, não comece. Eu e Johnatan somos amigos.

— Não precisa se justificar. Sei que o anjinho aí de santo não tem nada. Não é mesmo, *John*?

— Donovan Hunter! Você continua o mesmo. Nunca leva nada a sério. Infelizmente, não tenho tempo para suas brincadeiras — respondi, segurando o braço de Elise para afastá-la do grupo.

Carlie permaneceu calada, mas sua expressão mudou de surpresa para atônita ao observar minha atitude. Ignorei seu olhar e dirigi minha atenção a Elise.

— Preciso falar com você.

Enquanto nos distanciávamos Carlie me fuzilou com o olhar, como se quisesse saber o que eu fazia ali.

Se não a conhecesse bem diria que estava a ponto de perder a compostura, mas eu não estava com cabeça para falar com ela agora, muito menos na presença de Donovan.

— Johnatan, o que está acontecendo aqui?

— Desculpe por te deixar nessa situação. Se conheço Donovan, ele vai atormentá-la até arrancar alguma coisa sobre nossa amizade.

Mas estou me mudando e quero deixar um numero com você para mantermos contato.

— Não se preocupe. Já estou acostumada com o jeito dele.

— Prometo que assim que me instalar no outro apartamento eu te procuro.

— Ok! Cuide-se e se precisar de algo não hesite em ligar.

— Até mais, Elise. E obrigado por tudo!

Caminhei até o carro e ao passar por Carlie percebi seu olhar repleto de insegurança e de perguntas não respondidas.

Donovan me dirigiu um sorriso cínico, puxando-a para junto de si, como se estivesse satisfeito por eu tê-la ignorado.

Dei a partida, passando com o carro ao lado deles sem olhar para trás. Um nó parecia querer esmagar meu coração e quem sabe, até minha alma imortal.

— Não sabia que o anjinho estava na cidade — Donovan comentou, tentando aparentar indiferença, mas eu sabia que o que ele queria realmente era confirmar se tive algum contato com John enquanto estava no apartamento de Elise.

Achei por bem explicar que também não tinha conhecimento da presença dele, para evitar uma discussão desnecessária.

— Estou tão surpresa quanto você.

— Elise não comentou nada sobre isso?

— Não! Pela reação dela, acho que nem mesmo fazia ideia de que nos conhecemos.

— Não me surpreende. Ela sempre foi muito independente. Só espero, para o bem dela, que não esteja se envolvendo com ele.

— Tive a impressão que ele estava de partida.

— Melhor assim. Não gosto da ideia de tê-lo por perto — e dizendo isso, Donovan deu por encerrado o assunto sobre Johnatan Fallen.

Devo vendar meus olhos, tapar meus ouvidos, selar meus lábios...
Caro é o preço da minha convicção.
Quem está condenado às trevas, não tem permissão de pisar no paraíso.

Capítulo 25
O segredo de Donovan

Senti a mão de Donovan deslizar por meu corpo e vagarosamente abri os olhos. Deparei-me com ele ao lado da cama, pronto para sair.

— Vai mesmo me deixar aqui sozinha tão cedo?
— É preciso, mas não vou demorar. Volto em algumas horas.

Espreguicei o corpo, afastando o lençol propositalmente enquanto me movia.

— Pare de me provocar ou não vou conseguir sair desse quarto.
— Não pode me condenar por tentar — respondi, fazendo cara de inocente.
— Seja uma boa menina e comporte-se — Donovan respondeu, enquanto abaixava para me dar um beijo — Fique na cama. Prometo recompensá-la quando voltar.
— Fiquei de passar no apartamento de Elise mais tarde. Talvez eu não esteja em casa quando você chegar.
— Já sei que vai passar o dia fora — ele se queixou —, só espero que não pretenda me fazer dormir sozinho outra vez.
— Não se preocupe, Don — respondi sorrindo. — Prometo que estarei de volta à noite.

Trocamos um longo beijo e ele se foi, antes que eu voltasse a dormir.

Eram quase onze horas da manhã quando finalmente entrei no carro, partindo em direção à cidade para me encontrar com Elise, que já estava a minha espera.

— Carlie, até que enfim você chegou! Já estava pensando que não viria mais.

— Preciso muito conversar com você.
— Imagino que sim. Mas afinal, o que foi aquilo ontem?
— Está falando de Johnatan?
— E de quem mais poderia ser? Era ele não era? O caído que você namorava.
— Era sim! Eu não sabia que ele estava em Copenhague. Aliás, como você o conheceu?
— Foi por acaso. Eles estavam hospedados em um apartamento aqui perto, mas ontem mesmo ele se mudou.
— Eles? Ele está aqui com a Claire?
— Estava. Parece que ela aprontou feio com ele, mas nem adianta me perguntar os detalhes porque não sei exatamente o que aconteceu. Só sei que não estão mais juntos e por isso ele foi embora. O apartamento era dela, eu acho.
— Bem, não posso dizer que fico triste em saber que a relação deles deu errado. Depois do que ele fez comigo... Eles se merecem.
— Nunca me contou porque vocês terminaram, mas seja lá o que for que tenha acontecido, tenho a impressão que ele ainda mexe com você e com certeza é recíproco.
— Não vim até aqui para falar sobre Johnatan Fallen. Melhor deixar nossa relação exatamente onde está; no passado.
— Tudo bem, mas conheço você o suficiente para saber que alguma coisa está te perturbando. É o Donovan, não é?
— Ah, Elise! É tudo tão intenso que às vezes me assusto.
— Acho que você está exagerando um pouco. Queria eu ter uma relação tão assustadora assim em minha vida — Elise declarou em tom de brincadeira.
— Estou falando sério. Sinto coisas com ele que nem sabia que existiam.
— De que tipo de coisas está falando, Carlie?
— Emoções que nunca senti com ninguém antes. Parece que meu corpo reage diferente a ele. Quando simplesmente me toca ou quando fazemos amor é tudo tão... intenso. Até quando compartilhamos sangue é diferente. Não sei de onde vem isso, mas

me sinto tão viva! Muitas vezes questionei o motivo, mas você conhece Donovan. Ele nunca explica nada direito.

— Não poderia ser de outra maneira, querida. Afinal, vocês tem um elo de criação. Ele te abraçou, o que faz dele seu Sir e em uma relação assim isso é normal. São experiências que só ele pode te proporcionar. E não duvide, ele também deve sentir o mesmo em relação a você.

— Não! Você está enganada. Donovan não foi o responsável por minha conversão.

— Claro que foi, Carlie. Não tenho dúvida quanto a isso. Sei que você não tem como se lembrar, mas eu mesma ajudei a cuidar de você nos primeiros dias.

Elise parou de falar ao ver minha expressão chocada.

— Então... você ainda não sabia! Minha nossa, Carlie! Para ser sincera, nunca entendi direito porque Donovan fazia tanta questão de manter isso em sigilo, mas jamais poderia imaginar que o motivo era você. Vocês viveram juntos por todos esses anos. Achei que já soubesse a verdade.

— Elise, não é possível. Donovan não faria algo assim comigo. Diga que isso não é verdade.

— Carlie, por favor, me desculpe! Eu não fazia ideia que isso ainda era um segredo entre vocês. No início sim, mas agora, depois de tanto tempo, eu pensei que...

Não a deixei terminar, estava desesperada demais para continuar a conversa. Peguei minha bolsa e saí do apartamento de Elise. As lágrimas ameaçando rolar por meu rosto.

Estava confusa e perturbada com tantas emoções aflorando ao mesmo tempo. A raiva e o desejo de tirar satisfação com Donovan me rasgando por dentro. Mas nada doía mais do que a decepção de saber que ele mentiu para mim por todos esses anos.

— Carlie, aonde você vai?

Ignorei o chamado de Elise, que estava de pé na porta do edifício e entrei no carro que deixei estacionado em frente ao parque. Dei a partida e dirigi cegamente pelas ruas movimentadas do centro da cidade á tarde.

Não sabia para onde ir. Na verdade, eu não queria estar em lugar algum ou poderia estar em qualquer lugar; não importava. O único local no mundo onde eu não poderia ir naquele momento era para casa. Talvez, jamais pudesse voltar.

Eu precisava de um tempo para refletir sobre o que acabara de ouvir. A revelação de Elise caiu como uma bomba, destruindo tudo que eu acreditava saber sobre meu passado. Foi então que tomei uma decisão.

Virei abruptamente para a esquerda, dei a volta e peguei a Boulevard HC Andersens seguindo para Langebro. Continuei pela Amager e só parei após cruzar o estreito de Oresund, chegando a Malmo na Suécia em pouco mais de quarenta minutos.

Segui direto para a Triangeln e entrei no único hotel que eu conhecia na cidade, o Hilton.

Por precaução, me registrei com o nome de minha mãe, Suzane Marie. Sabia que Donovan não demoraria a dar por minha falta quando eu não voltasse à noite, isso se Elise não o procurasse antes para contar o que aconteceu.

Com certeza, ele usaria todos os recursos a seu dispor para me encontrar e se recebesse ajuda dos Among Us, isso seria muito rápido. Mas eu contava com seu orgulho para ganhar alguns dias de vantagem, já que para isso ele teria que pedir ajuda a Yuri e essa seria a última coisa que Donovan gostaria de fazer.

Só tinha um problema. Minha fuga não foi planejada como da outra vez. Eu não tinha nada comigo além da roupa que usava e do que estava na bolsa. Não teria como me alimentar, a não ser que compelisse alguém. Era isso ou cometer um assalto, como faziam os jovens anarquistas.

Precisava ser o mais discreta possível se não quisesse ser encontrada, o que não seria difícil, já que a única coisa que eu queria era ficar sozinha.

Pensei na opção mais lógica para solucionar o problema de alimentação, mas buscar uma Casa Paraíso estava fora de questão. Esse seria o primeiro lugar onde Donovan procuraria por informações sobre meu paradeiro.

Fechei as cortinas e mantive as luzes apagadas, com exceção da luminária perto da porta. Meu humor estava péssimo e piorando a cada minuto.

Tirei a sandália, o jeans e a blusa que ainda vestia, e entrei no banheiro. Um banho me ajudaria a relaxar um pouco e pensar sobre a revelação de Elise.

Ao passar pelo espelho vi o reflexo do camafeu com o brasão da família, que eu tinha optado por usar em um cordão. O presente, antes tão delicado e precioso, agora queimava em minha pele.

Retirei o colar e o deixei sobre a pia.

Agora que eu sabia a verdade tudo começava a fazer sentido. Como ele teve coragem de mentir para mim desse jeito? E como eu pude ser tão burra a ponto de nunca desconfiar de nada?

Minha mente dava voltas, pensando nas várias vezes em que estive perto de saber a verdade.

Foram tantas as situações, aparentemente sem explicação, e eu como uma tonta aceitando sempre que Donovan se esquivasse das respostas, simplesmente sem questionar. Era como se no fundo eu não quisesse saber.

Mas havia outra coisa que me incomodava mais que o fato dele ser o responsável por minha transformação. Um pensamento que não saía da minha cabeça desde que deixei a casa de Elise.

Se Donovan me abraçou naquela noite, então provavelmente, ele também era o responsável pela morte dos meus pais e isso era algo impossível de perdoar.

Como eu poderia continuar vivendo com o homem que matou meu pai e minha mãe?

Chorei sozinha durante horas. As lágrimas se misturando a água da banheira, que aquela altura já estava fria. Mesmo assim permaneci mergulhada, me sentindo a mais infeliz das criaturas, até ser vencida pela sede.

Quando saí da banheira já havia tomado minha decisão.

Vesti o roupão do hotel e liguei para a recepção, pedindo um sanduiche que eu não pretendia comer e uma garrafa de vinho.

Quinze minutos depois a campainha tocou e uma voz masculina anunciou o serviço de quarto.

Abri a porta e dei passagem para o garçom, que depositou a bandeja com o sanduíche e o balde com o vinho em cima da mesa.

— Devo abrir a garrafa para a senhorita?
— Sim, por favor!

Esperei pacientemente, enquanto ele sacava a rolha do vinho e servia a primeira taça.

— Precisa de mais alguma coisa?
— Na verdade, preciso sim — respondi, olhando fixo em seus olhos — Pode me dar sua mão?

Ele estendeu o braço em minha direção sem oferecer resistência.

— Por favor, não se assuste e não grite — ordenei — Isso pode doer um pouquinho, mas é só no início. Depois você vai gostar.

Fiz um pequeno rasgo em seu pulso, o suficiente para me alimentar e quando terminei, voltei até a mesa. Quebrei a taça em que ele havia servido o vinho, respinguei algumas gotas na manga de sua camisa para disfarçar a mancha de sangue e entreguei a taça quebrada a ele.

— Agora, você vai levá-la de volta para a cozinha. Vai dizer que ela escorregou quando estava servindo o vinho e você se cortou. Vai esquecer tudo que aconteceu aqui e mandar alguém trazer outra taça para mim.

— Sim, senhorita!
— Ah! E leve isso.

Coloquei uma gorjeta generosa em sua mão antes de dispensá-lo. Imaginei que o valor deveria ser o equivalente ao que receberia um doador das Casas Paraíso.

A atitude não mudava em nada o que eu acabara de fazer, mas ao menos servia de consolo para minha consciência.

Alguns minutos depois, uma camareira trouxe outra taça. Fui para a cama levando a garrafa de vinho e me sentindo miserável e covarde, por não confrontar Donovan e exigir dele a verdade sobre a morte de meus pais.

— Alô!

— Elise, pode passar o telefone para Carlie? O celular dela está desligado.

— Donovan! Ela não está com você?

— Se estivesse eu não estaria te ligando.

— Ai Lilith, me ajude!

— Elise, o que está acontecendo? Onde está Carlie?

— Você vai querer me matar, mas preciso te contar uma coisa.

Pelo tom de Elise eu sabia que algo muito grave estava acontecendo, só não imaginava o que poderia ser. Peguei a chave do carro e fui para a garagem, ainda falando ao telefone.

— Estou saindo de casa agora mesmo e, para o seu bem, espero que não tenha acontecido nada com ela.

Vinte minutos depois parei em frente ao prédio onde Elise morava. Subi as escadas de dois em dois degraus e abri a porta, sem me preocupar em tocar a campainha.

— E então, o que aconteceu entre vocês, irmãzinha? Onde está minha mulher?

— Eu não sei. Ela esteve aqui e conversamos, mas já faz muito tempo e ela saiu tão desnorteada... Pensei que tinha ido para casa, conversar com você.

— Desnorteada por quê? Por acaso vocês discutiram?

— Donovan, eu vou contar, mas você tem que se acalmar.

— Acredite! Eu estou calmo e você não vai querer me ver nervoso. Então, pare de me enrolar e diga logo o que aconteceu.

— Nós conversamos sobre vocês e ela estava tão confusa... Eu...

Elise balbuciou, tentando escolher as palavras, mas nada me prepararia para o que veio a seguir.

— Eu acabei falando que você a abraçou.

— Você fez o quê?! — perguntei incrédulo.

— Donovan, me perdoe. Eu não podia imaginar que ela ainda não sabia.

— Perdoar? Eu devia matá-la por isso — respondi furioso — Tem alguma ideia do problema que criou?

— Como eu poderia saber? Já se passaram oitenta anos, Donovan. Oitenta anos! E você sumiu. Isolou-se de nós levando Carlie com você. Eu não podia imaginar que depois de todo esse tempo você ainda escondia essa informação dela. Vocês viveram juntos por quase um século. Por Lilith! Quem em sã consciência faria algo assim?

— Acho melhor você medir suas palavras, minha irmã. Esse não é o melhor momento para testar minha paciência.

— Ora, Donovan! O que você esperava? Achou que poderia manter esse segredo para sempre?

Em dois passos me aproximei, segurando-a pelos ombros. O brilho azul em meus olhos denunciando que estava a ponto de perder o controle.

— Não me olhe assim. Não sou um de seus vassalos e não tenho medo de você. A culpa disso tudo é sua, Donovan, e você sabe muito bem disso. Você foi descuidado.

Respirei fundo e afrouxei as mãos soltando-a, mas a raiva ainda me dominava.

— Não gosto de ter sido a responsável por revelar isso a Carlie, tanto quanto você. Mas se pretendia sustentar seu segredo devia ao menos ter me avisado.

— Claro. Eu devia imaginar que você não conseguiria manter a língua dentro da boca.

— Donovan, se não fosse eu seria outra pessoa. Mais cedo ou mais tarde, alguém ia acabar deixando escapar.

Sabia que ela estava certa, mas o que mais me preocupava agora era Carlie. Precisava encontrá-la para esclarecer tudo e rápido.

— Aonde você vai?

— Vou procurar Carlie.

Dei as costas, ignorando Elise. Atravessei a porta e desci rapidamente as escadas que me separavam da rua.

*E mais uma vez o destino se antecede.
Em meio a nuvens turbulentas um resquício de
luz se torna a única esperança.*

Capítulo 26
A busca

Acordei confusa. Olhei o relógio sobre a mesa de cabeceira e confirmei que já era dia. A garrafa de vinho jazia vazia no chão, ao lado da cama.

Sabia que precisava reagir. Em algum momento eu teria que voltar para casa e enfrentar a realidade, mas não tinha a menor disposição para levantar da cama, muito menos para sair do quarto do hotel. Ainda não estava preparada para um confronto com Donovan e talvez nunca estivesse.

Tentei analisar as opções que me restavam, mas tudo que consegui foi me sentir ainda mais miserável que na noite anterior.

Construí toda minha vida alicerçada sobre uma mentira e agora que sabia a verdade, não havia me restado nada. A raiva inicial tinha passado, mas em seu lugar, surgia algo muito pior.

Fechei os olhos, sentindo pena de mim mesma, decidida a permanecer na cama pelo resto do dia.

— Donovan, qual o problema?

— Estou indo para casa e preciso que você me encontre lá imediatamente.

Do outro lado da linha, Noah concordou e quis saber o motivo da emergência àquela hora da manhã.

— Não posso explicar agora. Estou na estrada — uma pausa para ouvir e respondi —, chego em quinze minutos.

Dirigi por mais alguns quilômetros e quando estacionei na garagem da mansão, ouvi o motor do carro de Noah se aproximando da alameda.

Entrei e servi uma bebida, antes de me atirar no sofá para esperá-lo.

Estava mentalmente exausto. Tinha passado a noite em claro tentando localizar Carlie sem nenhum sucesso, o que significava que ela não estava na cidade. Talvez nem estivesse mais na Dinamarca.

— Você está com uma aparência horrível!

— Servido? — perguntei, levantando o copo quando Noah entrou.

— Não, obrigado! Qual é a emergência?

— Carlie descobriu que fui o responsável por convertê-la e desapareceu.

— Surpreende-me que tenha demorado tanto.

— Noah! Vou precisar de sua ajuda.

— Péssima hora para isso acontecer, levando em consideração a presença de um caçador nos arredores.

— Está confirmado?

— Sim. Yuri está agora mesmo convocando uma reunião do conselho para tratar desse assunto.

— Mais um motivo para encontrá-la o mais rápido possível.

— Faz alguma ideia de onde ela possa estar?

— Não! Passei a noite vasculhando pessoalmente cada local que pude me lembrar, mas ao que tudo indica ela saiu de Copenhague.

— E o que pretende fazer? Vai pedir ajuda a Yuri?

— Não quero envolvê-lo. Você sabe que ele não perderia a oportunidade de usar isso contra mim.

— Pode contar com minha discrição, mas a encontraríamos muito mais rápido se colocássemos os Among Us na busca.

— Eu sei. Mas prefiro deixar entre nós por enquanto, se não se importa.

— Tenho algumas ideias, mas antes preciso saber mais detalhes.

— Certo. Já verifiquei os lugares que ela costuma frequentar, hotéis onde poderia se hospedar e também as companhias aéreas com voos regulares para o Brasil. Não consegui nada. É como se Carlie tivesse evaporado no ar.

— Então, não nos resta muita opção. Vou alertar meu pessoal e você deve fazer o mesmo. Temos que trabalhar com a hipótese dela estar usando outro nome para não ser localizada. Se me permite, vou tomar as providências e...

A conversa foi interrompida pelo som de meu celular que tocava insistentemente. Devia ser a décima vez que ela chamava, mas aquela altura, eu não estava com a menor paciência para lidar com Elise.

— O que você quer? — fiz uma pausa — Não tenho tempo para isso agora.

— É Elise? — Noah perguntou apenas para confirmar — Me passe o telefone. Eu resolvo isso.

— Noah! Que bom que você está aí. Donovan não me dá nenhuma informação sobre Carlie há horas. Eu estou preocupada.

— Tenha paciência, Elise — Noah aguardou e depois prosseguiu — Ele está nervoso, mas nós vamos encontrá-la.

— Eu quero ajudar. Estou me sentindo péssima pela maneira que tudo aconteceu.

— O melhor que tem a fazer é permanecer em casa. Ela pode procurá-la.

— Está bem.

— Elise, não comente esse assunto com ninguém. Devemos preservar a privacidade de Donovan e Carlie, até sabermos onde ela está.

— Farei o que você mandar, Noah. Só prometa que me manterá informada.

— Farei o possível. Agora preciso desligar.

Acordei olhando para os lados e me perguntando o que eu estava fazendo ali. No mesmo instante lembrei. Havia deixado o apartamento da Romersgade no dia anterior, após o inesperado encontro com Carlie e Donovan na entrada do prédio de Elise, e me instalado provisoriamente num hotel, nas imediações do Tivoli, até decidir que rumo daria a minha vida.

Sem perspectiva, levantei da cama e caminhei até o banheiro. Já passava das nove, mas se me apressasse ainda teria tempo de tomar o café da manhã no restaurante do hotel.

Vesti as roupas que estavam sobre a poltrona, na saleta que precedia o quarto e saí para o hall dos elevadores.

Observei que o salão onde era servido o desjejum aos hospedes estava quase vazio. Provavelmente, todos já haviam saído em passeios pela cidade.

Naquele ambiente eu poderia perfeitamente passar por um ser humano comum e talvez, até me sentir assim, não fosse pelos problemas que me atormentavam.

Pensei em Carlie e em sua reação ao me ver no dia anterior. Meu primeiro impulso foi ligar para Elise, mas me contive, já que eu mesmo havia restringido nosso contato para não correr o risco de receber uma visita indesejada de Donovan.

Minha tentativa de buscar tranquilidade, aparentemente, havia funcionado. Nem mesmo Claire parecia saber onde eu estava ou tinha chegado à conclusão de que não precisava me procurar, já que o próprio Azazel tinha certeza de que eu voltaria.

Apesar da paz aparente, eu me sentia só e atormentado. Ainda não sabia o que fazer e esperava que, de alguma maneira, Rafael enviasse ajuda. Mas a verdade é que a situação estava muito complicada. Com a traição de Claire, eu não dispunha mais de um contato direto com ele e não me restavam muitas opções, além de esperar.

O som do telefone tocando em meu bolso me tirou do devaneio. Atendi automaticamente, sem verificar quem chamava.

— Johnatan falando!

— Graças a Lilith te encontrei!

— Elise?

— Sou eu, Johnatan! Estou com um sério problema e acho que você pode me ajudar.

— O que aconteceu? — perguntei, procurando mostrar interesse.

— Por telefone não. Seria muito arriscado. Se Donovan souber que estou pedindo sua ajuda ele me mata.

A menção ao nome de Donovan me colocou em alerta.

— Quer me encontrar no café onde nos conhecemos?

— Seria ótimo. Posso chegar em quinze minutos.

Deixei a xícara com leite, ainda pela metade, em cima da mesa e levantei para ir ao encontro de Elise, questionando qual seria o motivo de tanta exasperação.

Ao entrar no café fui direto para o balcão. Ocupei um dos bancos a disposição dos clientes e pedi dois cappuccinos.

Elise entrou em seguida. Parecia apressada. Ocupou o banco ao meu lado, ignorando a xícara com o líquido fumegante.

— Desculpa! Mas precisamos conversar. Não dava para esperar até você me procurar.

Percebi em seu olhar que o que ela tinha para me falar era mais sério do que eu imaginava.

— Acho melhor passarmos para uma mesa — comentei, tentando parecer casual aos olhos curiosos do atendente que nos observava.

Peguei as xícaras do balcão e nos afastamos, ocupando uma mesa pequena no fundo do salão.

— O que está havendo? O que poderia ser tão sério a ponto de você precisar da minha ajuda sem que Donovan ou sua família saibam?

— A Carlie! Ela sumiu.

C-A-R-L-I-E as letras do seu nome entraram vagarosamente em minha cabeça.

Há tempos não ouvia o seu nome dito por outra pessoa. De repente, cada lembrança boa que vivi a seu lado voltou como uma tempestade e em segundos, me vi arrebatado por sensações que há muito não sentia.

— Sumiu? Mas como assim, sumiu?

— É uma longa história.

— Estou esperando. Pode começar.

Passei o resto da manhã com Elise. Ela revelou em detalhes tudo que havia acontecido e como ingenuamente havia contado para Carlie que Donovan era o responsável por sua transformação.

Não precisava ser muito inteligente para adivinhar o que viria a seguir. E quando Elise mencionou o suposto acidente dos pais de Carlie, demorei um pouco para acreditar. Mas, vindo de Donovan, aquilo não deveria me surpreender.

— Então, ela foi embora porque finalmente descobriu quem é Donovan Hunter?

— A questão agora não é essa Johnatan. Eu sei que você não gosta dele, mas ela pode estar em perigo e precisamos de você.

— Elise, me desculpe! Mas não há nada que eu possa fazer. Sei que está preocupada, mas da última vez que Carlie desapareceu ela estava nas mãos da Among Us, que eram nossos inimigos. Agora a situação é diferente. Pelo que entendi sua família a acolheu como esposa de Donovan. Qualquer esforço que eu faça para encontrá-la não será mais eficiente do que a própria organização de vocês.

— Não, Johnatan! É aí que você se engana. Carlie está mais experiente. Sei que não será fácil para ninguém encontrá-la, se ela não quiser e, além disso, Donovan não quer envolver Yuri. Ele a está procurando sem ajuda dos Among Us.

— E o que você sugere que eu faça?

— Não sei, mas nas poucas vezes em que tive oportunidade de ficar a sós com ela, sempre terminávamos a conversa falando de você. Ela me disse que durante o tempo que viveram juntos vocês se amaram e eu vi o olhar dela no dia que te encontramos.

— Não entendo onde está querendo chegar.

— Carlie me contou que vocês tinham um segredo. Um meio de comunicação especial. Se tem alguém que poderia saber onde ela está, esse alguém é você.

— Está sugerindo que eu a procure nos sonhos?

— Porque não? Pelo que sei vocês já fizeram isso muitas vezes.

— Mas é arriscado, Elise. Se ela te contou tanto, então você deve saber que da última vez tivemos a visita de um de seus amigos.

— Johnatan, você é a última pessoa a quem eu deveria recorrer, mas sei que Carlie não confiará em mais ninguém, a não ser em você. Agora eu preciso ir. Só espero que você mude de ideia. E se isso acontecer, por favor, me mantenha informada.

Permaneci na mesa observando, enquanto Elise se distanciava. Analisei tudo que ela havia dito, mas as lembranças teimavam em se sobrepor. O passado retornou com força e todas as coisas, boas ou ruins, que vivi com Carlie estavam lá.

Depois daquela conversa com Elise eu sabia que precisava tomar uma decisão. Paguei a conta, saí do café e retornei a meu quarto no hotel.

Estava confuso. Não sabia se reencontrar Carlie depois de tanto tempo seria uma boa coisa a fazer. Afinal, eu também tinha meus problemas. Mas, por outro lado, aquela poderia ser uma oportunidade para me reconciliar com o verdadeiro amor da minha vida.

A noite chegou e com ela minha decisão. Eu conhecia os hábitos de Carlie. Sabia o horário que ela costumava dormir. Tudo que precisava fazer era esperar e na hora certa, tentar encontrá-la.

Sinto um prazer indescritível em ver seus olhos fitando os meus. Porque assim como a lua completa o sol, eu sou sua metade e você é a parte que faltava em mim para ser inteira outra vez.

Capítulo 27
O encontro

Conforme a madrugada avançava, vagarosamente deixei o corpo relaxar, dando início ao processo que me levaria ao transe e finalmente ao controle do sonho.

Geralmente, posso construir o que quiser e fazer com que tudo pareça tão real, que muitos acreditam estar acordados. O sonho flui de acordo com o que eu planejo. Mas quando se trata de Carlie, é diferente.

Meu amor por ela é meu ponto mais fraco e sempre termino deixando que ela interfira, misturando suas lembranças e emoções aos cenários que projeto.

Sabia que ela estava emocionalmente abalada e que os sentidos ampliados dos vampiros só serviriam para dificultar ainda mais o processo. Precisaria de muito controle para mantê-la dentro de minha projeção. Mas eu não estava preparado para o que veio a seguir.

Abri os olhos. O beco escuro e a noite chuvosa definitivamente não faziam parte do meu cenário.

Levantei e percebi que havia alguém chorando. Olhei na direção de onde vinha o choro e avistei o carro. Estava virado, como se o grave acidente tivesse acabado de acontecer e as pessoas dentro dele não sobreviveram.

— Carlie? — nenhuma resposta.

— Carlie, é você? — insisti, tentando chamar a atenção da garota agachada no chão, junto ao carro.

Ela estava lá, parada bem na minha frente, chorando na chuva, como se a chuva fosse uma extensão de sua tristeza.

— Carlie — chamei novamente, tentando tirá-la daquele transe doloroso, mas ela parecia não me reconhecer.

— Quem está aí?

— Sou eu. Johnatan.

— O que está fazendo aqui? Saia! Vá embora!

— Não! Eu vim para ajudá-la.

— Ajudar? Não há mais nada a fazer. Você não vê? Eles se foram para sempre.

— Isso não é real. Você não precisa estar aqui.

— Não há para onde ir. Não tenho mais nada. Perdi meus pais, perdi você e agora descobri que a única pessoa em quem confiei por toda vida, é o verdadeiro culpado pela minha desgraça. Por acaso sabe como eu me sinto?

— Não, mas sei que conheci uma garota solitária, triste, que tinha o coração ferido. Um ano se passou e não foi nada fácil para ela, mas ela sobreviveu. Está viva! E conseguiu sobreviver porque viveu intensamente todas as coisas boas e ruins que aconteceram ao longo desse ano. E agora, ela está pronta. Cresceu. Transformou-se em uma mulher forte, madura. Conquistou aqueles que tentaram feri-la no passado, superou o que a fez chorar e mostrou que é maior que os acontecimentos dos últimos tempos. Apesar da dor, ela não desistiu e agora está livre para viver a sua maneira. Livre para aprender a ser feliz, sem culpa, sem arrependimento. Seu erro no passado foi ter se acovardado por medo de se arriscar, de lutar pelo que queria. Mas agora ela está pronta, porque conhece os fatos e tem a consciência tranquila. Hoje, ela é forte o suficiente para não se deixar abater nem enganar.

Carlie não se moveu. Permaneceu agachada ao lado do carro, mas parou de chorar.

— Tem que deixá-la ir. Você não pode mudar o que aconteceu, mas precisa deixar essa tristeza no passado e dizer adeus àquela garota impotente, que vivia sob o domínio dele. Eu te amo, minha pequena! Deixa eu te ajudar.

Ela virou o rosto em minha direção e não suportei o desespero da dor contida em seu olhar. Abracei-a, fazendo com que se levantasse e usei todas as forças que tive para tirá-la de lá naquele instante.

Pouco a pouco, o cenário em que estávamos foi mudando. A chuva passou e tudo a nossa volta sumiu, dando lugar a um lindo dia de sol. Estávamos em uma grande casa de campo.

Levei-a até a janela e fiz com que admirasse a vasta extensão verde, a perder de vista.

Aquela mulher em meus braços havia mudado meu mundo e ao seu lado eu me sentia vivo de novo. Apesar das circunstâncias, eu sabia que ela ficaria bem. Eu faria tudo que estivesse ao meu alcance para isso.

— John! Que lugar lindo! Onde estamos?

— Não está reconhecendo? É a antiga casa de campo que você costumava ir com seus pais.

— Sempre adorei esse lugar, desde pequena. Às vezes vou até lá, quando necessito me sentir segura e guardo isso em meus sonhos, mas nunca foi tão real quanto agora.

— Eu sei. Por isso te trouxe pra cá.

— Como me encontrou?

— Elise me procurou e contou o que aconteceu. Disse que eu era o único que poderia encontrá-la.

— Elise. Mesmo sem conhecer todos os detalhes do nosso passado, ela sabia exatamente a quem recorrer.

— Pois é, mas precisamos conversar mocinha e já estamos aqui há muito tempo.

— Eu sei.

— Vamos! Vou levá-la de volta. Quero que descanse e amanhã cedo nos encontramos.

— Como vou encontrá-lo? Não sei onde você está.

— Você saberá.

Soltei-a e deixei que a névoa desfizesse a ilusão do sonho, mas permaneci ao seu lado, até ter certeza que ela dormia tranquila em sua cama no hotel.

Despertei na manhã seguinte permaneci na cama, olhando para o teto e imaginando se o que aconteceu durante o sonho era mesmo real.

Dizem que o amor não tem dia nem hora para chegar. Surge de repente e se instala, virando nossa vida ao avesso. Entre eu e Johnatan não foi diferente, e apesar de todos os motivos que tive para me afastar dele, não podia negar que esse sentimento permanecia em mim, ainda que estivesse adormecido.

Enchendo-me de coragem, levantei e me arrastei até o banheiro. Propositalmente, tomei uma ducha demorada, para ter tempo de pensar sobre tudo que ele havia dito, e tornei a vestir a única roupa de que dispunha.

Quando estava quase pronta, ouvi três batidas leves na porta do quarto e estranhei, pois não havia pedido nada a recepção. Mas ao abrir a porta, me deparei com um bilhete dobrado, deixado cuidadosamente no chão, de forma que eu pudesse ver de imediato a mensagem na parte externa: *Para Srtª Marie - URGENTE*.

Peguei o bilhete e olhei para o corredor vazio. Não havia o menor sinal de quem o teria deixado lá. Abri imediatamente, na esperança de ter alguma resposta, mas tudo que encontrei foi o endereço de um hotel em Copenhague e uma breve frase de Johnatan, avisando que estava a minha espera.

Já havia tomado à decisão de deixar o hotel e o bilhete era o motivo que eu precisava para agilizar a partida.

Reuni meus pertences, arrumei a bolsa e disquei o número da recepção, pedindo que encerrassem minha conta.

Uma hora depois cheguei ao local indicado. Um prédio simples, nos arredores do Tivoli. Entrei, procurando ser o mais discreta possível e passei direto pelo balcão de informações, seguindo para o hall dos elevadores.

John estava hospedado no último andar e conforme o elevador subia, meu estomago fazia mais e mais voltas. Um frio anormal tomou conta de mim, causado pelo nervosismo ante aquele encontro.

Era a primeira vez que tínhamos a oportunidade de ficar frente a frente, depois de tudo que aconteceu em São Paulo e eu tentava antecipar como seria essa conversa.

A porta do elevador se abriu ao chegar ao andar indicado, mas por um breve momento fiquei parada, pensando em como deveria agir. Quando finalmente me senti segura, caminhei pelo longo corredor até o quarto de Johnatan.

— Enfim, você chegou! Entre.

John deu passagem para que eu entrasse, fechando a porta em seguida. Depois de tanto tempo, ele estava bem ali, parado na minha frente e a vontade que tive foi de abraçá-lo, mas me contive.

— Como sabia onde me encontrar? — foi a única coisa que consegui dizer.

— Vou te explicar tudo, mas primeiro sente-se e relaxe. Você está com uma cara péssima.

Sentei na poltrona que estava próxima a janela e observei o movimento agitado na rua abaixo do edifício. John puxou uma cadeira e sentou na minha frente.

— Não foi difícil identificar o hotel depois que desfiz a ilusão do sonho. Nada comparado a energia que precisei despender para tirá-la da cena do acidente. Uma das maiores vantagens de meu dom é poder ver o local exato onde está a pessoa que estou manipulando. Mas claro que com você nada é tão simples.

— Então, todo esse tempo eu estava desprotegida? Está me dizendo que eu poderia ser achada por qualquer um?

— Não é bem assim, Carlie. Mas não foi para isso que a chamei. Acho que temos coisas mais importantes para conversar, não concorda?

— John, essa conversa deveria ter acontecido há muito tempo. Agora não sei se é uma boa ideia. Com tudo que estou vivendo... Você quer mesmo discutir o passado?

— Acho que você precisa disso tanto quanto eu — ele fez uma pausa e me observou atentamente — Não é só pela descoberta que fez sobre Donovan. Estou certo? Tem mais alguma coisa errada, eu posso sentir. Qual é o problema, Carlie?

— Eu não estou bem. Só isso.

Johnatan se levantou e se aproximou, segurando minha mão. Tentei me afastar, mas já era tarde.

— Você está arredia, nervosa! Quando foi a última vez que se alimentou?

— Isso não vem ao caso agora.

— Eu conheço você e sei muito bem quais são os seus hábitos. Vamos Carlie, responda!

Puxei a mão, tentando disfarçar, mas ele não me soltou. Ao invés disso, tornou a insistir e não tive alternativa senão admitir o óbvio.

— Na noite em que saí do apartamento de Elise eu compeli um funcionário do hotel. Pronto! Está satisfeito?

— Minha pequena, você está trêmula. Como pode passar tanto tempo sem se alimentar? Por acaso pensou que poderia morrer de fome?

— Pare com isso, John, por favor! O que você queria que eu fizesse? Não podia ir a uma Casa Paraíso. Donovan saberia no mesmo instante e é possível que me encontrasse antes mesmo que eu tivesse tempo de sair de lá.

— Tudo bem, mocinha. Você vai ficar quietinha aqui. Deite e relaxe um pouco até eu voltar.

— O que vai fazer?

— Vou dar um jeito nisso. Mas não saia daqui, entendeu?

— John, espere!

Tentei chamá-lo de volta, mas ele não me deu atenção. Saiu, fechando a porta atrás de si e fiquei sozinha, imaginando o que ele pretendia fazer.

Meia hora depois ele voltou, trazendo uma bolsa de sangue resfriado.

— Espero que seja suficiente.

— Onde conseguiu isso?

— Digamos que eu subornei uma enfermeira.

A ideia de Johnatan assaltando o banco de sangue de algum hospital para me alimentar era tão absurda que não contive o riso.

— Que bom que alguém está se divertindo com a situação.

— Desculpe! Mas não consigo imaginar *você* roubando uma bolsa de sangue.

— Vamos! O que está esperando?

Resignada, peguei a bolsa das mãos dele e consumi avidamente todo o conteúdo. Nem preciso dizer o quanto me senti melhor depois disso.

— Muito bem! Agora podemos conversar — ele declarou, constatando a evidente melhora em meu humor — Carlie, eu vejo em você uma mulher muito diferente do que era quando estávamos juntos e não faz tanto tempo assim.

— Muita coisa aconteceu, John. Todo mundo muda. Você também não é mais o mesmo.

— Não sou mesmo. Existem pessoas que lutam intensamente pelo que desejam e vencem; outras param no meio do caminho, e para essas, existem poucas chances de retomar suas vidas. Eu caí num poço profundo e só agora me dou conta. Mas se eu não reagir, tenho certeza de que cavarei esse poço até não poder mais voltar à superfície. Já você é diferente. Não a vejo em um poço. Você pode ser uma pessoa realizada, basta querer. Sei que está decepcionada com tudo que descobriu. Viu seus planos fracassarem. Mas, se quer saber, isso não é motivo para jogar tudo fora.

— Donovan não foi o único que me decepcionou.

— Mas você também não é a única que sofreu uma decepção. Parece que nisso estamos empatados.

— Senti muita falta de você. Porque fez aquilo, John? Porque me traiu com ela?

— As coisas não foram bem assim como você pensa. Custei a entender, mas agora eu sei que naquele dia que você me viu com Claire ela já sabia de tudo. Ela antecipou os fatos, planejou aquela situação. O que você viu foi ela tentando nos afastar e conseguiu. Fui atrás de você, mas já era tarde. Você estava com Donovan.

— Eu não estava com Donovan! Ele me disse que você esteve lá e que tirou suas próprias conclusões. Ele deixou você pensar que estava certo porque achou que você merecia uma lição. Mas eu nunca tive nada com ele. Não até nos mudarmos para cá.

— Parece que nossa história está cheia de mal entendidos.

— Ou de precipitação... Mas as coisas são como são e não dá para mudar o passado.

Passamos o resto do dia conversando e esclarecemos cada detalhe de nosso conturbado rompimento. Como em um quebra cabeça, cada fato se encaixava e por fim, descobrimos que fomos os dois enganados. John por Claire e seu plano diabólico para levá-lo a se unir aos caídos, e eu por Donovan, e seu excesso de proteção, além do desejo de ocupar um lugar diferente em meu coração.

De certa forma, mesmo sem saber, Donovan tinha trabalhado a favor de Claire.

— Sei que você está melhor e fico feliz por isso, mas agora sou eu que preciso de uma refeição.

— Nossa! Já passa de quatro da tarde. Ficamos aqui praticamente o dia inteiro.

— Se não se importa, vou tomar um banho e depois você pode me acompanhar a um restaurante.

— Quanto ao restaurante não sei, mas eu espero você tomar seu banho e saímos juntos.

— Ok! Não vá a lugar algum. Eu já volto.

— E onde eu poderia ir? — perguntei brincando.

Ouvi o barulho da água do chuveiro e aguardei. Meus pensamentos estavam muito longe dali. Mais do que nunca eu precisava me encontrar com Donovan e esclarecer as circunstâncias de minha conversão e da morte de meus pais. Só assim me sentiria realmente livre para dar um rumo novo a minha existência. O problema era como encarar Donovan sem ceder ao poder de seu domínio.

— E então, vai me acompanhar ou não?

John estava de pé, no meio do quarto, vestindo um jeans e uma camiseta, e pelo jeito que me olhava, não era a primeira vez que fazia aquela pergunta.

— Acho que não. Não posso continuar adiando o inevitável. Preciso voltar e enfrentar a situação.

— Você está certa, até porque, não temos muito tempo.

Enquanto falava, John passava as mãos no cabelo molhado, arrumando alguns fios que teimavam em não ceder ao seu comando. Foi aí que percebi o sinal na parte interna de seu braço.

— O que é isso? Não me lembro de ter visto essa marca antes.

Ele seguiu a direção de meu olhar e sua expressão mudou.

— Essa é a marca dos renegados.

— Porque nunca reparei nela?

— Ela não estava aqui. Ou melhor. Sempre esteve, mas você não podia ver.

Levantei e me aproximei dele, tocando seu braço no local onde estava a marca.

— E porque posso vê-la agora, John? Vai me dizer o que está acontecendo ou não?

— Venha cá!

Ele sentou comigo na beira da cama e contou em detalhes sobre a profecia.

— Por isso você não podia ver a marca. Ela só se torna visível mediante uma ameaça iminente.

— Está dizendo que existe uma chance real do mundo, como conhecemos, simplesmente deixar de existir?

— Não sei se chegará a esse ponto, mas uma guerra está por vir e acho que quanto a isso não há mais volta. A segunda lua de sangue já se manifestou, o que significa que a profecia já está em andamento.

— As luas de Lilith!

— Luas de Lilith?

— Sim! São as luas da Deusa. Eu li algo sobre isso no livro das leis, quando estava me preparando para me apresentar ao conselho dos clãs. Elas são um aviso de uma grande ameaça que pode levar nossa raça ao extermínio. Pensei que era apenas uma lenda. Nunca imaginei que poderia ser real.

— Bem, não sei nada sobre as profecias de seu povo, mas posso te garantir que as nossas elas são bem reais.

— Você não pode se juntar a eles, John. Deve haver alguma coisa que possamos fazer para impedir que isso aconteça.

— Essa era a intenção de Rafael quando enviou Claire para cá, mas agora, sem a intermediação dela, não há nada que possamos fazer.

— John! Estamos perdidos. Todos nós. Não vê? Se essa profecia se cumprir será o fim de minha raça também. Essa guerra não pode acontecer. Não podemos sobreviver em um mundo sem humanos. Temos que encontrar uma maneira de evitar que a profecia se realize.

Carlie estava certa. Se Azazel lograsse sucesso em seu plano de insurgência, os vampiros não sobreviveriam e os poucos que conseguissem permanecer vivos, com certeza teriam que aceitá-lo como soberano, o que era o mesmo que ser condenado a uma vida de escravidão.

— Não deve se preocupar com isso agora. Estou certo que Rafael já tem seus próprios planos traçados, para acabar de vez com essa nova tentativa de rebelião. Durante milênios foi assim. Não será diferente dessa vez.

— Tudo isso acontecendo e a única pessoa em quem eu poderia confiar se transformou em meu pior inimigo.

— Está se referindo a Donovan?

— E a quem mais poderia ser?

— Sei que se sente traída por ele, mas acho que as coisas podem não ter sido exatamente assim. Pense bem.

— Não posso perdoar o homem que matou meus pais.

— Ninguém disse que é fácil perdoar. Quando somos feridos por alguém que amamos ou perdemos a confiança depositada nessa pessoa, perdoar exige muita coragem. É por isso que você precisa tentar entender a sutileza das pessoas que fazem parte da sua vida. Mesmo que o mundo esteja desmoronando, você deve confiar no que diz seu coração. Sei que está magoada e não estou falando que tem que perdoá-lo. Você sabe o que eu penso a respeito de Donovan. Mas mesmo que sua decisão seja romper os laços com ele para sempre, ainda assim, acho que deve procurá-lo e dar a ele a chance de se explicar. Você não pode passar o resto da vida fugindo dele.

— Eu sei John. Também já pensei nisso. Só não sei se vai adiantar alguma coisa. Não há nada que ele possa dizer que vá mudar o que eu sinto.

— Minha pequena! Eu devo estar louco pelo que vou dizer agora, mas Donovan esteve presente em praticamente toda sua existência. Culpado ou não, foi ele quem cuidou de você. Seja para pedir que ele suma da sua vida ou para perdoá-lo, você deve a ele essa chance. Só assim terá a oportunidade de tirar esse peso do seu coração.

— Você está certo, John! Agora eu preciso ir. Vou resolver essa situação ainda hoje, antes que ela acabe me consumindo por completo.

Sei que não sou mais a menina de outros tempos mas posso ser melhor e mais forte.

Capítulo 28
O confronto

Helena iniciava mais um dia de trabalho e uma lista de quartos, que foram liberados pela manhã, precisavam ser limpos e arrumados para receber os próximos hóspedes. Aquele era o segundo sob sua responsabilidade e já estava terminando, quando encontrou o colar esquecido sobre a bancada do banheiro.

As regras do hotel eram claras em relação a objetos encontrados nos apartamentos após a saída do hóspede. Ela sabia que deveria entregar o colar na recepção, para que fosse encaminhado ao setor de achados e perdidos. Do contrário, corria o risco de ser demitida. Mas hesitou, ao ver o símbolo gravado no camafeu.

Ela conhecia aquela marca. Já tinha visto muitas vezes nos anéis usados pelos homens e mulheres que controlavam a Casa Paraíso, onde prestava serviços eventuais como doadora. Sabia muito bem o que representava. Mas, mesmo ela, podia reconhecer que aquela era uma joia especial. Certamente pertencia a alguém mais importante que um simples *subalterno*.

Há muito ela ansiava por uma chance de se aproximar de alguém influente, dentro daquela comunidade tão reservada, e aquele colar representava a oportunidade perfeita.

Ponderou sobre a situação. Ninguém, além dela, havia entrado no banheiro e se não falasse nada sobre o objeto, o gerente do hotel não teria como descobrir. Mas havia um problema: a dona do colar poderia voltar para procurá-lo antes que ela tivesse tempo de devolver.

O melhor a fazer era ligar e avisar que havia encontrado. Assim ela teria a chance de entregar o colar pessoalmente e ganhar alguns pontos com os vampiros.

Michael parou na calçada e observou a fachada do elegante Hotel Hilton. Havia recebido ordens de seu chefe para buscar um objeto que estava de posse de uma camareira e levá-lo imediatamente para Copenhague.

Em geral, não se envolvia diretamente em missões ligadas aos mais graduados da organização, mas esse caso era diferente. O objeto em questão pertencia à esposa de um membro importante do conselho dos clãs e deveria ser entregue pessoalmente a Lord Zarko.

Ao invés de seguir pela alameda até a garagem, parei o carro na entrada, próximo ao portão e segui a pé o trajeto até a casa, ocultando propositalmente minha presença.

De longe podia ouvir as vozes de Donovan e Yuri conversando na sala.

— Onde o achou?

— Uma camareira encontrou no banheiro de um quarto do Hilton, em Malmo.

— Então, ela está na Suécia. Ótimo!

— Dessa vez você passou dos limites, meu filho. Até quando pensou que poderia esconder esse fato?

— Eu agradeço por me devolver o colar, mas não preciso da sua ajuda. Eu e Noah estamos cuidando da situação e agora que sabemos onde procurar, logo a traremos de volta.

— Não precisa da minha ajuda? Não estou vendo você fazer nenhum progresso.

— Carlie é responsabilidade minha. Eu resolvo.

— Não mais. Você me envolveu nisso quando pediu aprovação do conselho, tornando-a oficialmente um membro de nossa família.

Agora, querendo ou não, ela é responsabilidade minha também. O que você acha que aqueles abutres do conselho vão pensar quando souberem de tudo isso? Na certa vão achar que não tenho mais condições de comandar meu próprio clã. Quem sabe até, começarão a ter ideias sobre uma *sucessão forçada* em nossa organização.

— Então, sua verdadeira preocupação não é com a segurança de Carlie, mas com uma possível disputa envolvendo os negócios da família.

— Mais uma vez está sendo irresponsável, Donovan. Nos últimos meses vocês chamaram muito atenção. Suas extravagâncias para agradar essa mulher parecem não ter limites. Será que já parou para pensar no que pode acontecer se o caçador a estiver observando?

— Ela não está pronta para lidar com isso sozinha — Donovan respondeu, deixando transparecer na voz toda sua preocupação.

— Vou mandar os rapazes atrás dela. Eles vão encontrá-la e trazê-la de volta, antes que aconteça algo pior.

— Não precisa se dar ao trabalho.

Surpresos, Yuri e Donovan se viraram para olhar a mulher que os interrompera e que fora capaz de se aproximar tanto sem que nenhum dos dois percebesse sua presença.

— Carlie!

— Você me deve muitas explicações, Donovan Hunter.

Continua

Mais Além da Escuridão

Entre Nós – livro 1
Revelações – livro 2
Insurgência – livro 3
Entre Nós – Pelos olhos de Donovan (Spin off)

VISITE AS PÁGINAS OFICIAIS

www.lereditorial.com
www.facebook.com/lereditorial
www.maisalemdaescuridao.blogspot.com.br
www.facebook.com/maisalemdaescuridao

PRÓXIMO LANÇAMENTO

Mais Além da Escuridão 4
A Origem